Que sementes você está regando?

Que sementes você está regando?

Reflexões zen para cultivar a vida plena

Monja Coen

Copyright © Monja Coen, 2022
Copyright © Editora Planeta do Brasil, 2022
Todos os direitos reservados.

Organização de conteúdo: Thaís Rimkus
Preparação: Vivian Miwa Matsushita
Revisão: Diego Franco Gonçales e Carmen T. S. Costa
Projeto gráfico e diagramação: 3Pontos
Capa e ilustração de capa: Toda Oficina

Dados Internacionais de Catalogação na Publicação (CIP)
Angélica Ilacqua CRB-8/7057

Coen, Monja
    Que sementes você está regando? / Monja Coen. – São Paulo: Academia, 2022.
    160 p.

ISBN 978-65-5535-819-3

1. Espiritualidade 2. Mensagens 3. Vida - Reflexões I. Título

22-2884   CDD 204

Índice para catálogo sistemático:
1. Espiritualidade

Ao escolher este livro, você está apoiando o manejo responsável das florestas do mundo

2022
Todos os direitos desta edição reservados à
EDITORA PLANETA DO BRASIL LTDA.
Rua Bela Cintra, 986 – 4º andar
01415-002 – Consolação – São Paulo-SP
www.planetadelivros.com.br
faleconosco@editoraplaneta.com.br

"Vou escolher sempre minha vida como lugar de semente."

VALTER HUGO MÃE

Sou semente de mim mesma. Há milhões de anos, renasço em novo broto. Minha semente contém todo o meu passado e todo o meu futuro. Carrega uma memória ancestral que, em solo fértil, surpreende ao fazer surgir um novo ser. Uma nova versão de mim mesma. Há diferentes tipos de semente: de árvores frondosas, de ervas pequeninas. Semente de abóbora e de jabuticaba. Um caroço é semente, por exemplo. O caroço de manga vira mangueira, porém a semente de melancia vira fruta rasteira. Por que será que uma não se torna a outra?

Genética. Cada uma de nós reproduz DNAs muito antigos. E nunca permanece exatamente igual, pois está sempre mudando. Uma árvore seca pode parecer morta, e eis que surge um botão no galho retorcido pelo verão e pelo inverno – você sabe, pelas alegrias e pelas tristezas.

Talvez todas as sementes sejam necessárias: tanto as que crescem nas trevas, na umidade, com cheiro estranho e não comestíveis quanto as que se alimentam de sol e lua, banhando a noite e o dia de luz.

Sabia que você pode escolher que semente plantar, em que solo guardar o segredo do passado e a esperança do futuro? Sabia, certo? Pois agora eu digo: é possível. Faça de sua vida a semente da árvore que quer ver florescer, da sociedade que quer cultivar, de uma vida plena e saudável para o maior número de seres. Viva para que haja chuva e vento, açudes cheios, ar puro, compartilhamento, harmonia, alegria.

Há quem queira plantar o ódio e o rancor, a vingança, o ciúme, a raiva, a inveja e o terror. Cuidado! Podemos tentar transformar essa planta carnívora, que devora tanta gente? Ou transplantá-la para outra galáxia?

Que semente você está regando? Cabe a você perceber. Talvez nem saiba, nem se dê conta de que há muitas possibilidades. Pensou ser tudo igual? Que o passado se repete no presente e no futuro? Não – tudo é transformação, mutação.

Então, se uma semente é nociva, tóxica, destrutiva, podemos guardá-la como um bonsai? Ou seja, fazê-la pequenina e inofensiva? É possível transformar a raiva em ação amorosa que beneficie todos os seres?

Sim, podemos plantar num solo duro. Somos capazes de fertilizá-lo para que as sementes, antes com poucas chances de brotar, se sintam vivas e germinem em abacateiros para que se tornem comunidades capazes de cooperar e colaborar.

Sabia que as raízes das árvores se encontram e compartilham vida através de vitaminas? Da mesma forma, nós, seres humanos, somos capazes de compartilhar e cuidar. Há alguns vorazes, ferozes, aterrorizadores, que gritam alto, atacam, odeiam, assaltam, destroem, infestam. Poderosos. Contudo, a maioria, que é bondosa, murcha e fica assustada.

O que você quer semear? A covardia, o medo, a saudade, a valentia, o machismo patriarcal ou o feminismo radical? Ou a compaixão, o espírito de comunidade, a sustentabilidade, a justiça social?

Note, contudo, que sementes surpreendem. Uma pode parecer semente de chuchu, mas ser de batata – com que cara você fica? Pode parecer uma pessoa boa e calada, mas virar uma fera assassina. Outra pode ter ares de desregulada, assombrada, tomada por algum espírito levado, mas viver como santa, não malvada. Uma rosa pode ficar branca e a manga-espada virar manga-rosa.

Lembre-se: há inúmeras possibilidades! Nada é fixo, nada é permanente.

Já experimentou plantar bambu? Como toda gramínea, ele vai tomando conta de tudo, derruba casa e quebra canos ao mesmo tempo que segura a terra, firma o chão, cria cerca viva, purifica o ar, faz sombra e sobrevive apenas com água pura e um pouco de terra. Por isso pergunto: é hora de virar semente ou de cuidar, regar, criar condições para o bem florescer?

Este livro é uma proposta. Podemos fazer de nossa vida uma semente de ternura, de inclusão, de cuidado e sabedoria, de compaixão e gratidão, e não de maldade, do fel amargo da inveja, do rancor, do ódio e terror.

Plante árvores e regue a bondade, compartilhe a vida e seja um ser humano capaz de transformar a realidade.

Mãos em prece,

Monja Coen

> Podemos fazer de nossa vida uma semente de ternura, de inclusão, de cuidado e sabedoria, de compaixão e gratidão, e não de maldade, do fel amargo da inveja, do rancor, do ódio e terror.

Era uma vez uma senhora de cabelos grisalhos e costas curvas de tantos anos nas plantações de arroz. Todos os dias, com as próprias mãos, plantava, uma a uma, pequenas mudas no chão encharcado. Nas noites quentes, a lua cheia se espalhava entre os brotos, que pareciam milhares de estrelas refletidas nas águas, e os sapos coaxavam.

No Japão, sapos se chamam *kaeru*, que também significa "retornar". Por isso são considerados um bom presságio. Quando alguém está doente, os japoneses enviam cartões com desenhos de sapos para que recupere a saúde. Há quem coloque pequenos sapinhos de metal ou madeira dentro da carteira para que volte o dinheiro gasto. Quando alguém viaja, é comum dar um sapinho de presente para desejar seu retorno.

A senhora de cabelos grisalhos e costas curvas acreditava muito nessas histórias antigas, que foram transportadas de um passado distante. Ela mesmo sempre carregava em sua bolsa de moedas um pequenino sapo de metal que ganhara muitos e muitos anos antes. Quando mesmo? Ela mal se lembrava.

Ainda na escola, quando estava aprendendo a ler e escrever, somar e subtrair, um menino, seu vizinho de plantação, deixou esse pequeno sapo em sua mesa, sem dizer nada. Apenas deu o presente, olhou para ela e saiu correndo. Parecia saber do desastre que ocorrera em sua casa. O pai escorregara do telhado e talvez nunca mais voltasse a andar. Ela era uma de sete filhos, cuidados pelos avós. A mãe ia para a roça antes do amanhecer e voltava ao anoitecer. Ao dar o sapinho, o menino havia feito um gesto amoroso, doce, simples, como se dissesse: "Que o seu pai se recupere e fique bem".

Depois de receber o presente, meses se passaram. Ela precisou deixar a escola por uns tempos. Era a mais velha e a mais forte de todas as irmãs e dos dois irmãos. Foi ajudar a mãe. No começo, era divertido. Agachava, plantava o arroz, limpava em volta. Depois aguardava, esperava que aparecessem os sapos, protegia-os das cobras quando podia e, então, ouvia as cigarras que, nos dias mais quentes de verão, cantavam das quatro da manhã às seis da tarde.

Anos se passaram, o corpo foi se transformando – vieram as dores, os desconfortos, os dissabores. Suas irmãs e seus irmãos foram para a escola. Três se formaram em curso superior: um médico, um engenheiro agrícola e uma professora. Uma irmã fazia faxina no templo, a outra trabalhava como secretária numa firma e a sexta se casou com o menino que lhe dera o sapinho. Todos se casaram e tiveram filhos – ela também. Filhos e filhas, netos e netas, bisnetos e bisnetas. Agora andava devagar pela estrada assim, de cabelos grisalhos e costas curvas.

A senhorinha havia criado alguns hábitos engraçados. Um deles era sair e caminhar até a cidade levando duas sacolas de sementes. A cada cinco passos, jogava algumas no chão. Havia pessoas que diziam que ela ficara perturbada desde que o filho fora atropelado na estrada e morrera em seus braços. Depois do acidente, havia comprado uma imagem do Jizo Bodisatva e feito um altar em memória do menino amado. "Era tão bonzinho", dizia, enxugando as lágrimas – chorava tanto que seus olhos sempre pareciam marejados.

Nas épocas mais secas, a senhora de cabelos grisalhos e costas curvas também carregava um regador. Sem nem olhar para baixo, ia deixando a água cair na beira da estrada enquanto jogava suas sementes. Por isso as pessoas diziam que ela estava perturbada. Sem cavar e adubar a terra, as sementes não dariam em nada.

A Terra continuou girando em torno de si mesma e em torno do Sol. Dias, noites, semanas, meses, anos se passaram. Às vezes, uma flor surgia na beira da estrada. Tinha seu momento de grandeza e desaparecia. Uma depois da outra. Até aquele dia estranho.

Era Tanabata-sama, 7 de julho. Conforme a lenda, se houvesse arco-íris nessa data, um pedido escrito em papel e pendurado num bambu poderia se tornar realidade. A netinha da senhora grisalha e de costas curvas amava muito a avó. Não gostava que rissem dela, dissessem que caducava. Com os pequenos dedinhos e uma letra ainda fraca, a menina pediu que florescessem as sementes da avó.

Amarrou no galho de bambu o papelzinho colorido, no jardim do templo.
Teve sol e chuva. Um arco-íris lindo, grande, colorido, forte. Todos se maravilharam com aquele dia extraordinário e seguiram a procissão do festival. Quando chegaram à estrada, ficaram boquiabertos. Eram flores e mais flores, de todas as espécies e cores, misturadas, entrelaçadas, perfumando o céu e a terra.

Agachada e curvada, a senhora de cabelos grisalhos estava com as mãos em prece, orando em frente ao altar para o filhinho morto. As lágrimas escorriam de seus olhos sempre marejados enquanto sua boca repetia uma prece antiga: "*Om kaka kabi sanmaei sowaka*". Bem ao lado da imagem, um lírio branco desabrochava, perfumando o ar; na xícara de porcelana verde, cheia de água, apareciam o céu do entardecer e a lua cheia.

Não dava mais para adiar. Na véspera de Natal, seu presente seria fugir. Fugir com seu amor, deixando para trás filhos, marido, casa. E foi o que ela fez, sem olhar para trás. Coração acelerado numa mistura de medo e ansiedade. Na sacola que preparou, apenas umas trocas de roupa. O bebê estava amamentado e dormia no bercinho; a menina de 2 anos já havia almoçado e também descansava. Ela saiu de mansinho, sem deixar a porta ranger, e só permitiu que escorresse uma lágrima quando chegou à esquina onde encontrou o namorado dos tempos de infância. À época em que se conheceram, os dois eram crianças; ele não passava de um estudante sem emprego e "sem futuro".

Com essa justificativa, aliás, ela fora obrigada a se casar com um homem uns dez anos mais velho. "Esse, sim, um bom partido", diziam seus pais. Afinal, tinha um emprego satisfatório, aparentava ser um homem honesto, estava solteiro e se apaixonara por aquela adolescente linda e inteligente.

Mesmo depois de se casar, porém, ela não esqueceu o antigo amor. Mas a vida seguiu. Ela engravidou. Era uma menina. Tornou-se boa mãe, amorosa. Dois anos depois, nasceu o menino – lindo, de cabelos pretos, lisos.

Foi na saída da maternidade que ela notou, de relance, um jovem passando. *Seria ele?* Seus olhos amendoados seguiram a figura de passadas gingadas e sorriso na face. Por um momento, ele também olhou na direção da antiga amada, que agora carregava o recém-nascido. *Esse bebê poderia ser meu filho.* Os olhares se cruzaram e a chama se reacendeu. Poucos dias depois, marcaram de se encontrar. A atração era tão forte! De onde vinha esse amor? Que sementes estavam regando?

Esperaram os quarenta dias de resguardo e se abraçaram, se entrelaçaram num amor proibido. O marido saía, e ele entrava, escondido. Passavam o dia juntos, brincando, rindo, se amando... até que programaram a fuga. O Natal seria uma boa data, pois todos estariam ocupados com festas, jantares, preces. O horário: pouco depois do meio-dia, hora do diabo.

Ela não fez a sesta. Saiu e, por meses, por anos, ninguém soube dela.

"Mamãe, mamãe!", chorava a menina pela casa quando o pai chegou. Ele pegou a pequena no colo e viu que no berço o bebê também chorava. Procurou a esposa. *Aonde teria ido?* A casa estava como antes: a cozinha suja, com restos de comida nas panelas, nos pratos, além de moscas sobrevoando o ambiente. Nenhum bilhete. Nada.

Enquanto o bebê chorava e a menina chamava "mamãe", ele entendeu. Já tinha o pressentimento de que nunca conquistara o amor da bela e jovem esposa. *Teria ela ido embora para sempre?*

Prático, logo telefonou para os sogros, mas estes não tinham notícias. Na sequência, ligou para a irmã e pediu ajuda com os afazeres: comprar leite em pó e mamadeira, limpar, fazer comida, brincar com a menina.

Ela, já acomodada na nova casa, notou que pingava leite de sua mama. Seria hora de amamentar. O que fazer? Para remediar a situação, o namorado foi à farmácia e comprou uma bombinha extratora. Ela tirava o leite e o jogava fora. Resolveram passar em consulta com um médico de outra cidade; lá, mentiu que a criança morrera e que, por isso, precisava estancar o leite. Assim foi feito.

Não demorou muito, engravidou novamente. Ao todo, teve sete crianças. Mudaram de país.

Ele, faceiro, tinha outras mulheres e, em casa, passou a se mostrar grosseiro. Ela, ocupada com as crias, chorava e se lamentava para amigas que fizera na vizinhança. Tempos depois, acabaram se divorciando. Os filhos e as filhas cresceram, mudaram de religião, tiveram filhos e filhas.

Passados trinta anos desde que largara a primeira família, recebeu a visita de sua primeira filha, já adulta e muito parecida com ela. A jovem havia sido criada por uma madrasta incapaz de amar as crianças que o marido trouxera do primeiro casamento. A mulher deixou marcas no homem prático, sério e inteligente que um dia ele fora.

Nesse meio-tempo, todos os anos, na véspera de Natal, sem saber o motivo, a garota chorava. Um dia, alguém lhe revelou o que havia sido escondido desde seus 2 anos de idade: aquela mulher com quem ela vivia não era sua mãe, mas sua madrasta. Sua mãe biológica havia saído de casa num 24 de dezembro. Só então a menina entendeu a tristeza estranha e profunda que seguiu com ela por toda vida naquela data festiva.

O Dia das Mães também passou a ser sem graça, triste e falso. Afinal, quem ela pensava ser sua mãe, tão brava e impaciente, maldosa até, era sua madrasta. A mãe, apaixonada por um antigo namorado, fugira. Quando, na televisão ou no rádio, cantavam o amor materno, ela desligava e comentava: "Que besteira".

Nessa visita, então, a filha a procurou para saber o que acontecera. Mas a resposta foi que de nada se lembrava. Para que falar de um passado tão remoto? Melhor que ficasse esquecido. Ainda doía, mesmo que agora elas fossem outras pessoas, cada uma com sua vida.

Mais trinta anos depois, ela, a mãe, morreu. No mesmo dia, o primeiro marido também se foi. Filhas e filhos se surpreenderam – que ligação seria essa, de ambos morrerem no mesmo dia? Afinal, nunca mais haviam se falado nem se visto.

A primeira filha não foi ao velório do pai nem ao enterro da mãe. De longe, orou por eles e pelo irmão, que fora artista e morrera jovem, belo, solteiro. Agora estava só.

Sem afeto e sem afago, herdou apenas uma meia-irmã, de quem se tornou amiga. E recebeu, transportados de outro país, alguns objetos da mãe morta. Desde então, passou a usar uma bolsa com muitas divisões, cuja alça atravessada no peito é como o abraço, o carinho.

Nascemos de sementes: do espermatozoide do pai e do óvulo da mãe. De milhões de espermatozoides, um adentra o óvulo e dá origem à vida humana.

O sagrado se manifesta, as células se juntam e começam a se dividir e se multiplicar. Sementes que carregam estímulos antigos, de milhões de anos. Nariz, boca, perninhas. Semente humana com DNAs passados de geração em geração, se misturando e se modificando no afã de sobreviver.

Quantas memórias ancestrais nosso DNA transporta nessa jornada? Fomos reis e rainhas, pessoas escravizadas. Fomos pessoas boas e malvadas. Pessoas que, atravessadas por emoções, desenvolveram sentimentos e percepções. Carregamos a condição de sobrevivência passando por mutações para não desaparecermos.

Vivíamos acreditando no que não sabíamos explicar, com intuição, inteligência, religiões, ateísmos, fogueiras, holocaustos, guerras e acordos de paz.

Agora é chegada a era da transformação. Transformação digital e hormonal. Tempo em que precisamos rever valores e reescrever a narrativa da vida.

É hora de despertar. Já não estamos mais no casulo que foi tão importante para nos gestar. Podemos abrir as asas e voar, livres e interdependentes, sendo o ar e a vida.

O momento é agora. Abençoados somos de haver nascido nesta era axial, de grandes mudanças. Podemos intervir. Agora sabemos, sim, que podemos interferir no clima, nos sistemas desiguais e abusivos. Podemos mudar o rumo da história e da vida no planeta. Somos pequenos, frágeis, poeira de estrelas; ao mesmo tempo, somos fortes e poderosos, capazes de mover montanhas e secar os mares. Descobrimos doenças e curas. Desvendamos terras e céus. Abrimos caminho entre as estrelas e nas profundezas abissais dos oceanos. Somos capazes de mudar a Terra, de construir cidades sobre águas e viajar em naves espaciais. Desenvolvemos a engenharia genética e bebês podem ser gerados em provetas. Ainda assim, há muito mais a compreender e transformar.

As sementes humanas são raras e poderosas. Sobreviveram a dilúvios e vulcões, incêndios, secas e inundações. Suportaram o frio intenso e o calor escaldante.

Com pequenas variações no formato do nariz e na pele, no intestino e em outras áreas do organismo, há diferentes grupos étnicos, com suas línguas, seus cantos, suas danças, seus valores e suas crenças.

Mas construímos cercas e criamos fronteiras, divisões. Escravizamos e fomos escravizados. Matamos e fomos mortos. Torturamos e fomos torturados. Fugimos e nos reencontramos na outra margem. Somos sobreviventes de um passado e de um presente em que urge a necessidade de mudar – mudar a maneira de ser, de olhar, de ver, de sentir e de cuidar.

Já sabemos que não somos o centro do Universo. Temos um papel relevante, mas não somos tão importantes quanto pensávamos ser. Agora chegou o momento de nos unirmos pelo bem comum. Não há mais um eu nem um grupo específico – somos o ecossistema, todos juntos, misturados, interligados.

Não se trata de reencarnação – na qual você pode acreditar ou não –, mas de sobrevivência. Será que a árvore morta reencarna em nova árvore ou será que seu DNA é transmitido, com certas características, algumas fixas e outras mutáveis?

Observe em profundidade, investigue, reflita. A natureza pode nos ensinar e explicar: vida e morte não se opõem. Tudo o que nasce, surge, pode crescer, ter um período de estabilidade e depois iniciar o processo de deixar de ser. Sem nunca acabar, pois renasce na geração seguinte, que nem precisa carregar o mesmo sangue e a mesma carne. Num constante transformar.

Enquanto escrevo, novas cepas do coronavírus que se espalhou pelo mundo nos últimos anos nos contam que também estão surgindo novas cepas humanas, capazes de sobreviver a situações estranhas e inusitadas nessa realidade modificada pela tecnologia, pela ciência, pelas descobertas do que estava encoberto e se revelou.

Revelações.

Aprendemos a enxergar mais fundo e, ao buscarmos a verdade, as sementes do despertar são estimuladas e inúmeros budas se manifestam. Seres despertos. Seres humanos capazes de cuidar, de entender, de abraçar novas causas.

Tenho fé no DNA humano. Para sobreviver, o DNA vai transformar e expandir nossa consciência. Perceberemos a necessidade de nos unirmos, colaborarmos, cooperarmos, somarmos inteligências e intuições para recriarmos a vida em plenitude, com saúde, tranquilidade e harmonia. O cuidado ambiental também é resultado dessa transformação – afinal, se não cuidarmos do planeta, vamos desaparecer.

A vida, pelo amor à vida, se modula, se expande e se desdobra em um novo olhar, na óptica correta, sagrada, preciosamente guardada na semente. A sua, a nossa, semente humana.

> A vida, pelo amor à vida, se modula, se expande e se desdobra em um novo olhar na óptica correta, sagrada, preciosamente guardada na semente. A sua, a nossa, semente humana.

Ele nasceu pequenino. Era o caçula de sete ou oito irmãos, todos meninos. A mãe comentava que, quando se casou — na época fora um casamento arranjado por seus pais —, ela era apaixonada pelo marido e rezava todas as noites para conceber um homem.

Naquela época, ter filhos homens era importante, porque eram eles que carregariam o nome da família do pai. Mulheres cuidavam da casa, das roupas, da comida e da procriação; algumas ajudavam nas finanças familiares e outras atuavam na educação de crianças e adolescentes — nas faculdades, por sua vez, só havia professores homens. Que nenhuma mulher se atrevesse a ser diretora, gerente, professora universitária. Lugar de mulher era na cozinha, sem jamais recusar os afagos de seu par. Filhos e filhas em profusão. Houve até quem gerasse mais de 25 crianças.

"Rezei tão forte para Kannon Bodisatva que só tive filhos homens", assim comentava essa senhora japonesa. Kannon Bodisatva é o símbolo da compaixão infinita. Ser de luz, desperto e iluminado, que vê os lamentos do mundo e atende às verdadeiras necessidades. Há imagens representativas da compaixão humana. Algumas com onze cabeças, olhando em todas as direções. Outras com mil braços e mãos, fazendo o bem de inúmeras formas.

Essa senhora casou-se com um monge zen, de alta patente na ordem, embora ainda jovem. Ela era pequena; ele era alto e forte. Ela, apaixonada, temia que, caso não viesse um menino, perderia o marido – o que era comum na época, os maridos podiam trocar de esposa se esta não lhes desse filhos homens.

Rezou e rezou tanto que de seu ventre só saíram homens. O mais novinho era o mais parecido com a mãe por seus traços físicos; os outros eram maiores, grandes e fortes. Ele era mirradinho, pequeno e querido, ganhava mimos especiais.

Quase todos se tornaram religiosos. O caçula tornou-se professor de inglês, e, para ele, a vida religiosa não era tão atraente quanto cantar nos clubes e se envolver com as damas da noite. Cantava, dançava, bebia, era um boêmio feliz.

Até que o pai resolveu pôr ordem na casa e o enviou para se tornar religioso. Ele, ainda assim, quando podia, escapava para ver suas antigas alunas de inglês e as tais meninas da noite. Passado um tempo, formou-se mestre da ordem religiosa. Casou-se com a filha de outro religioso, num acordo feito entre os pais. Tiveram duas filhas. Houve amor, ternura e tristeza.

Em meio a brigas à mesa e desprezo na cama, eles se divorciaram. Alguns anos depois, a ex-mulher morreu e ele se sentiu viúvo: nunca mais se casou. Ao mesmo tempo, apaixonou-se, amou, dançou, cantou, bebeu e se tornou um religioso muito querido por toda a comunidade, diferente dos outros. Não escondia seus feitos noturnos, encontros e desencontros, e nem a bebida. Era alegre. Adorava a beleza, a arte em suas múltiplas formas. Reconhecia e acolhia todos os seres humanos sem exigir nada. Levava idosos a passeios lindos e tranquilos. Oferecia cerveja, vinho, e as senhoras riam e bebiam com ele.

Certa feita, caiu sobre pedras quentes numa sauna e se queimou muito. Quase morreu. Perdeu os dedos da mão direita e as duas falanges de dedos da mão esquerda. Houve época em que comia direto do prato. Aprendeu a segurar um garfo ou uma colher, que fosse leve, com a ponta dos dedos que sobraram na mão esquerda.

Forte e decidido, jamais se rendeu. Sentia dores constantes, calores, mas não transpirava pelo corpo cheio de cicatrizes, de tecido enxertado das costas para cobrir e restaurar a pele queimada das pernas, da barriga, do peito, da face – aliás, na face um quase nada. Os órgãos genitais ficaram intactos (resultado das preces da mãe e dele mesmo, no hospital e em casa).

Seus discípulos e amigos religiosos fizeram novenas, dezenas delas.

Recuperou-se e passou a usar suas cicatrizes para aquietar o coração dos enlutados em velórios e enterros. Abria o quimono e exibia a pele retorcida das queimaduras. Fazia-se silêncio na sala, e assim muito pranto foi interrompido.

Beneficiou monges e monjas de vários países e diferentes ordens budistas. Era bom. Era inter-religioso. Era interbudista.

De onde vinha essa bondade? Ele aprontava, mas não se escondia. Em sua vida, tudo era natural.

Morreu magro, no hospital, quase uma múmia.

Eu o conheci e, hoje, ao saber de sua morte, lembrei-me dos tantos momentos compartilhados, dos ensinamentos trocados. Fizemos juntos muitos velórios e enterros no Japão. Ele era especialista nisso. Sabia encaminhar os seres para o mundo de Tânatos. As velas ficavam esguias e longas durante suas preces. Havia firmeza e certeza no que fazia.

Construiu um templo nas proximidades do monte Fuji e reformou o templo em Tóquio. Nesses locais, uma vez ao mês, recebia pessoas para meditar – zazen. Nessas ocasiões, professores e monges eram convidados a transmitir os ensinamentos dos mestres ancestrais. Então ele se deliciava com o zazen, com as aulas e, ao fim, servia macarrão ao molho de soja regado a cerveja, suco, saquê ou água.

Era alegre, estudioso e professor dos ensinamentos de Buda. Tivesse morrido em outra época, seu enterro contaria com cinco oficiantes, entre eles seus discípulos abades de templos e mosteiros ao redor do mundo. Enterro solene para monges especiais, de alto nível na ordem. No entanto, morreu durante a pandemia, num Japão fechado, com caixão lacrado. Não compareceram muitos celebrantes, pois não havia visto para estrangeiros, e só os mais próximos foram orar e oferecer incenso.

Cerimônias simples entre os que estavam por perto, nos templos vinculados. Todos de máscara e seguindo os devidos cuidados.

Em setembro de 2021, fraco e debilitado, pediu que o vestissem com os hábitos mais formais e belos. Oficiou a cerimônia do equinócio, quando, dia e noite tendo a mesma duração, dizemos que o acesso à outra margem é facilitado; ou seja, atinge-se a perfeição. A mente da equidade é a mente desperta, iluminada, suprema.

Ao fim das liturgias, sentou-se numa cadeira alta, de costas para o altar principal, e pediu que o fotografassem. Que olhar profundo, firme e forte; olhar de despedida, de quem está sendo levado pela morte. Ele, que encaminhara tanta gente naquele mesmo altar. Tantas orações, tantas lamentações, tantos incensos e ensinamentos transmitidos, num processo de tranquilizar parentes e amigos. Agora ali estava, semente de si mesmo, preparado e sem medo para o tudo-nada.

Ode a Baigaku Junnyo Daiosho Hon I, que adentrou parinirvana – o grande nirvana final, a grande paz – em 9 de novembro de 2021, aos 82 anos de idade. Abade do templo Kirigaya-ji, em Shinagawa (Tóquio), e fundador do templo Fujidera, em Gotemba (Shizuoka).

Se ele soubesse tudo o que decorreria daquele encontro, daquele gesto e daquela palavra, será que teria fugido, se esquivado, evitado? Teria repetido todos os movimentos como se visse um filme pela segunda vez, sabendo o que aconteceria? Nunca saberemos. Só sabemos que ele não conseguiu se controlar.

Atravessou faróis fechados, passou por ruas interditadas, derrapou na chuva fina, deu um cavalo de pau em que os pneus rangeram. Quando parou, ela estava lá, de braços abertos, recebendo as gotas de chuva na face. Era difícil dizer se sorria ou se chorava.

Ele ficou em silêncio por alguns instantes, observando aquele corpo forte, maciço, redondo, farto. O vestido de seda rosa havia grudado em sua pele, e ela parecia estar nua. *Ah, como era linda e forte!* Desceu do carro devagar, e um sopro de vento desmanchou seus cabelos longos. A chuva, num gesto mágico, cessou. Ele não apagou os faróis do carro, e os dois ficaram iluminados por eles, como em um grande palco. Abraçaram-se com ternura e suavidade.

Ela tinha as unhas longas, artificiais, com desenhos e brilhos. A luz da lua brincou entre seus dedos. Como ela era grande e forte. A ponto de os braços curtos e magros dele não conseguirem se encontrar ao envolvê-la – nem esticando os dedos eles se tocavam. E isso era agradável.

Ele se ajoelhou numa poça de água e pediu que ela fosse sua companheira para toda a vida. Ela aceitou. Eles se beijaram e se despediram. Ele ainda a observou virando a esquina, hábil no skate.

Casaram-se numa cerimônia rara, ao ar livre, na praia. Ela correu de um lado; ele, do outro; e, juntos, de mãos dadas, mergulharam no mar. Reapareceram em meio à espuma e, assim, chegaram ao altar.

Anos se passaram. Tiveram filhos e filhas, veganos, surfistas, skatistas. Abriram uma escola alternativa, com educadores de elite. Parecia que a vida ia bem. Nada de salgadinhos nem refrigerantes. Não bebiam, não fumavam (nem mesmo *Cannabis*) nem cheiravam. Meditavam, cantavam e faziam tudo juntos, organizando a casa, educando os filhos e as filhas com princípios éticos incontestáveis.

O tempo foi branqueando pelos e cabelos, os corpos ficaram mais frágeis, mas ainda muito hábeis e saudáveis.

Certa noite, sentaram-se em volta da fogueira para assar milho e batata. A salada e o feijão já estavam na mesa. Tudo parecia tão agradável e tranquilo, netos e netas brincando com as ondas do mar.

De repente, fez-se um silêncio, um grande silêncio. O mar emudecera. Não havia som algum – nem o crepitar do fogo, nem estalos, nem gritos de criança, nem a mata, nem insetos, nada. O casal se entreolhou e, naquela quietude rara, os dois se levantaram devagar e se abraçaram com ternura. Garoava, e ela estava com um vestido de seda cor-de-rosa. O farol de um carro iluminava a cena. Ele, braços curtos e finos, a abraçava.

Um skate, uma prancha, uma bicicleta e um bando de gente assistia em silêncio. Filhos e filhas, netos e netas, bisnetos e bisnetas, todos no grande silêncio daquele abraço.

A lua brilhou no céu, no mar, nos olhos dele e dela. De mãos dadas, caminharam, mergulharam e, dessa vez, não voltaram na espuma, deixando as sementes de si mesmos, boquiabertas, na praia.

> Calma.
> Momento de calma.
> Tranquilidade.
> Momento de tranquilidade.
> Mergulho nas profundezas silenciosas da mente.
> Respiração consciente.
> Não desista, insista.

Você não nasce com a semente Buda implantada em você como um chip. E ela tampouco pode ser emprestada ou comprada. A semente Buda depende de você procurar Buda. Mas o que é Buda? A palavra significa "despertar", um ser humano que desperta. E o que é o despertar? Alguns consideram "ser iluminado". Mas iluminar como uma árvore de Natal, com luzes coloridas elétricas ou de bateria? Ou uma iluminação própria como a do Sol, ou refletida como a da Lua? Raios multicoloridos da boca, dos olhos, do corpo, das mãos? Ou esse é um simbolismo dos textos sagrados antigos para se referir ao ser iluminado, aquele que aonde chega leva a luz, a claridade, a capacidade de despertar?

Vamos pensar: ser desperto não é exatamente ser esperto, mas ser capaz de estar presente, inteiro onde quer que seja. Não dormir no ponto, não ser enganado nem manipulado por ninguém – sem, também, manipular os outros. Desperto, acordado, livre e responsável... É possível perceber a relação entre tudo o que existe? Devemos investir no bem.

Geralmente acordamos com o amanhecer na Terra, mas há gente que não. Algumas pessoas dormem até tarde, ficam acordadas de madrugada. Será que elas não podem se tornar iluminadas? Claro que podem.

Notívagas são importantes, necessárias, e não só para trabalhar em bancos e agências financeiras ou dar plantões em delegacias e hospitais, para transporte noturno. Há vida noturna cheia de gente iluminada.

Um texto antigo descreve o ser desperto como símbolo da compaixão, e que pode surgir como homem, mulher, eunuco, prostituta, general, imperador, pedinte, classe média assalariada – ou seja, qualquer um de nós. Ter a mente de beneficiar todos os seres antes mesmo de obter vantagens e benesses, isso é despertar, é ser iluminado.

Já pensou que cada um de nós, cada uma de nós, pode despertar? Basta procurar por esse movimento. Procurar por Buda – onde está seu Buda interior, como canta o Criolo. Já tentou encontrá-lo?

Despertar sem despertador, num acordar sereno e natural de já ter dormido demais, em dias nos quais percebemos que não dá mais para ficar dormindo, em que cansamos de dormir. Afinal, dormir demais dá mal-estar. Pode nem haver projetos especiais ou um propósito de vida, mas chega de andar semiacordado, semiadormecido, sem sentir nada direito, sem perceber as coisas ao redor, se deixando levar pela manada.

Basta. Desperte: abra os olhos, a mente, o coração. Você tem tudo à disposição.

Mente Buda,
mente desperta,
mente iluminada.

Os neurônios na maior festa se conectando e reconectando na alegria de sentir, comunicar, pensar, ser, *interser*. Festa na cuca fresca... Será isso "ser iluminado"? Vá lá, chame seu Buda interior, perceba o que está dentro e fora. Fora e dentro.

No interior e no exterior. Como o coronavírus, que nos assolou em toda parte, sem censura, sem fronteiras, sem limites. No entanto, contagie apenas com o bem, com o amor, com a ternura.

Desenvolva a inteligência, mas não a inteligência comum, que comete crimes, se corrompe seduzida por poder e status, fama e riqueza. Nada isso. Desenvolva a inteligência ligada ao coração, à ternura, à visão clara da vida e do mundo.

Todos como um só povo, um só país. Se não cuidarmos do coletivo, não cuidaremos de ninguém, nem mesmo de nós.

Chegou a hora de despertar. Chame seu Buda.

Em toda parte, agarre a possibilidade de brilhar, de iluminar, de esclarecer, com sabedoria e compaixão. Sem relação com esta ou aquela religião, mas sempre com "ética", essa palavra bonita. Fazendo o bem para o bem de todos os seres. Educar, provocar, mostrar que cada um de nós – e todos nós – pode despertar, que é preciso duvidar, questionar, procurar, investigar, estudar.

É hora, o tempo urge. Desperte e venha brincar, espalhar o amor, a ternura, o cuidado, compartilhar vacinas, remédios e aprendizados. Venha ser feliz de verdade, partilhando, cooperando, colaborando, cuidando.

O tempo chegou. É agora. Acorde, mostre seu brilho, suas luzes. Ilumine e se deixe iluminar por tudo o que existe.

Semente Buda é criança Buda.

O pai era professor. Quando iniciava uma nova turma, os filhos perguntavam se havia alguma menina bonita. Se a resposta fosse "tem saudinha", eles achavam que deveria ser feia e logo se desinteressavam. Seria a arte de o professor reconhecer que, para além de beleza e feiura, o importante era ter saudinha? Seria essa uma forma singela de educar?!

Eram seis filhos: três meninas e três meninos, intercalados. Ou seja, uma casa cheia. A mãe, irmã de sacerdote, fora criada no rigor da disciplina e de poucos gastos; assim, governava a casa e educava as crianças sem muitos mimos. A filha mais velha servia os mais novos durante as refeições e era justa nas porções de alimento. Só quando havia batata fria ela se permitia aproveitar um luxo a mais, então, irmãos e irmãs perguntavam: "Por que você recebeu mais batatinha frita?". Com seriedade, ela respondia: "Porque gosto mais". Palavra final. Ah, as famílias grandes e simples, sem muito luxo, sempre com crianças famintas à mesa!

Aos domingos, irmãos e irmãs se preparavam para o cinema. Todos bem-vestidos, limpos, faziam uma fila na porta de casa. O pai dava uma moedinha para cada um comprar ingresso e balinha. Se alguém aprontasse durante a semana, era apenas nessa hora que o pai tirava a criança da fila e dizia: "Hoje você não vai". Aí não adiantava chorar nem reclamar. Era uma ordem definitiva: teria de ficar em casa e perder a sessão.

"Que punição severa", quando adulto, um dos filhos confessou aos amigos. "Estava todo pronto e era posto de lado." Já nem se lembrava do que fizera errado. Esse filho era chamado de "menino perigoso". Estava sempre a aprontar alguma.

Uma vez pulou o muro do vizinho e caiu de pé sobre uma tábua com um prego enferrujado. Uma sangueira danada. Gritos. A mãe correu.

Teria o vizinho feito de propósito, já que o menino costumava entrar em seu quintal para comer mangas ou colocar sal no rabo dos passarinhos? Ele também andava sempre com estilingue e uma vez até quebrara uma das vidraças. Será que teria jeito essa criança? Parecia ser malvadinha.

Todos cresceram, se casaram e tiveram filhos. Depois vieram netos, netas e bisnetos, bisnetas.

O menino perigoso se tornou um homem honrado e bondoso. Dos irmãos, foi quem alcançou mais sucesso profissional e financeiro. Ajudava quem precisasse. Responsabilizou-se pelo pai, que ficou anos em uma cama, sem falar nem controlar os esfíncteres. Fez a escala de plantões, pois a mãe não daria conta de cuidar sozinha do companheiro. Todos os dias e todas as noites, um dos filhos ou uma das filhas ficaria com eles, no quarto escurinho,

como a mãe exigia – luz indireta para não incomodar. A mãe era muito sensível a odores, ninguém podia ir a sua casa com perfumes, cremes, cheiros de nenhuma espécie. Falava sempre em voz baixa. Nunca teve empregada. "Imagine, uma mulher estranha na minha casa?!" Assim sendo, jamais reclamou das funções domésticas. Agora, idosa, não podia cuidar de seu amor, como os dois escreveram em sua última foto juntos: "Amor eterno, eterno".
Até que o pai precisou ser internado. A mãe chorou. "Queria ele ao lado, mesmo sem falar, sem se comunicar. Não queria que o levassem." Foi para não mais voltar.
A mãe precisou se mudar da casa para um apartamento e foi entristecendo. Uma das filhas, logo a mais nova e mais bela, morreu. Nunca contaram a ela. Diziam apenas que estava emburrada e por isso não a visitava. Até que a mãe também morreu. Foi enterrada com as pantufas que sempre usava em casa.
Os filhos e as filhas, os genros e as noras foram morrendo, além de alguns sobrinhos mais novos... Por fim, o menino perigoso ficou só. Um neto havia morrido, as duas esposas também. Ele, que se dizia ateu, passou a rezar e a crer em Deus. Não queria morrer e sentia muito medo devido a um sangramento cerebral, resultado de uma queda antiga e dos remédios para afinar o sangue que tomou depois de uma fratura na perna.
Sofreu bastante no hospital. Após a perna cicatrizada, teve pneumonia. Quando ia voltar para casa, fizeram um exame e precisou drenar o sangue

que se espalhara pelo cérebro. Foi um desastre. Ainda estava fraco e sangrou muito, a cirurgia o maltratou quando acabara de se recuperar da pneumonia. Descobriram líquido na pleura – um talho no pulmão direito. Até que morreu.

De olhos abertos, ouviu e entendeu que seria sedado. Era o fim de uma vida intensa e plena, de quase cem anos. Sobrevivente de uma era que desapareceu com ele, com suas memórias, suas fotos e suas histórias.

Sobreviveram filhas, netos e netas, bisnetos e tataranetos ainda por vir.

Virou semente, que já era antes mesmo de nascer.

Deixou um rastro de honra e ternura, peraltice e alegria; quando me lembro dele, de seus olhos claros e seu sorriso, fico comovida.

Esse menino perigoso era meu pai, semente de mim mesma.

"**D**itadura entreguista faz o jogo imperialista" eram palavras de ordem que muitas pessoas, em passeata, gritavam pelas ruas de São Paulo no fim dos anos 1960. O imperialismo eram os Estados Unidos, país poderoso e forte que não teria permitido um governo independente, com tendências estranhas a seus princípios, se estabelecer no maior país da América do Sul e Central. Seria verdade que o golpe militar foi orquestrado pela CIA? Não sei.

Foi uma época conturbada: nas ruas, militares com metralhadoras faziam parte do cenário habitual, e já não causava estranhamento ser parada à noite por uma patrulha com uma arma apontada para mim.

Eu era jornalista, tinha entre 19 e 21 anos de idade e muitas vezes precisava sair à noite. Nem lembro se havia toque de recolher, mas carros circulando depois das 22h ou 23h eram parados e examinados, porta-malas, vistoriados. Isso era rotineiro.

Quando um grupo de rock veio ao Brasil, eu me hospedei no Copacabana Palace e lembro-me de um jovem norte-americano, assustado, olhando da sacada do quarto e apontando para a esquina da avenida, onde soldados portando metralhadoras guardavam a rua e revistavam pedestres que por ali passassem. Esse jovem me chamou até a varanda, apontou para os soldados e me perguntou se havia algum risco no hotel. Olhei e só então me dei conta de que não era comum, em outros países, nem mesmo nos Estados Unidos, militares estarem armados nas esquinas. Para nós, vivendo aqui, era normal. Ou seja, podemos nos acostumar a tudo e esquecermos o que é viver em meio à liberdade de ir e vir.

Noutra ocasião, rumo ao Japão, precisei passar uma noite em Frankfurt. Um discípulo meu, comissário de bordo, conseguiu nos hospedar onde pilotos e comissários costumavam ficar, perto do aeroporto. Muito agradável. À noite, fomos caminhar nas proximidades de um bosque. Que aventura. Eu jamais caminharia em São Paulo, naquele horário, num lugar ermo. Ele sorria e me dizia: "Aqui não há perigo". Que coisa mágica viver onde mulheres e homens podem sair à noite sem medo, caminhar sem sustos e, ao ver outro ser humano, se alegrar e cumprimentar sorrindo.

O que nos falta? Por que vivemos com medo? Por que aumentamos os muros em casa e multiplicamos as grades em janelas e portas? Se estamos caminhando em um local ermo e vemos alguém se aproximando, temernos ser um assalto. Hoje roubam celulares e obrigam as pessoas a desbloquear os aparelhos a fim de conseguirem dados bancários, por exemplo, e fazer transferências. Roubam anéis, alianças, relógios, pulseiras, colares. Roubam carros, sequestram pessoas, matam por nada, talvez por medo também.

Quem plantou as sementes do medo? Quem as deixa germinar? Quem alimenta essas sementes em mim e em todos nós?

É preciso encontrar o caminho da liberdade, da equidade, da fraternidade – ideais da Revolução Francesa. Faz tempo que isso é necessário, e ainda precisamos construir a estrada para alcançar esse objetivo. A rota do encontro, da compreensão, do compartilhar e cuidar.

O motivo para o cenário atual seria apenas devido a uns terem muito e outros pouco demais? Excesso e falta? E o que dizer do menino classe média alta que saiu armado e atirou em pessoas em situação de rua? Insano, insanidade. Falta de saúde física, mental e social. Aporofobia. Repulsa aos pobres. E, sim, também há repulsa aos ricos. Repulsa a famosos, a quem se torna influenciador, pessoas que enriquecem e aparentam ser felizes. O ódio passou a ser um sentimento de destaque, sente-se ódio por quem pensa diferente de você, por quem toma partido dos partidos que você detesta.

Há tantos filmes de exterminadores – exterminadores do passado, do futuro e do presente – permeados por violência, sangue, explosões, suspense. Deixam-nos de coração na boca, sentindo medo, frustração. Por vezes, então, depois de muitas mortes e crimes, a tranquilidade no abraço de um homem bonito numa praia afrodisíaca. Isso é ser agente secreto. Ideal temível para quem se compromete a não mentir.

Delações premiadas, nas quais entrego amigos, companheiros, pai e mãe para me livrar. Será esse um princípio a ser transmitido de geração a geração? Será essa uma semente a ser cultivada? Não acredito nisso.

No fruto, a semente; na semente, o fruto. Em interdependência, não em codependência, questão psicológica difícil de se lidar. Quem vive em codependência nega ser codependente.

Há sempre motivos para continuar um relacionamento tóxico, como no funcionamento de uma vitrola antiga em que o disco com defeito faz ruído, não música. Depois de algum tempo, é difícil colocar delicadamente a agulha de cristal no sulco seguinte. Algumas vezes não há sulco seguinte, a relação ficou para sempre assim, como um ruído desagradável, sem alegria. As pessoas envolvidas machucando uma à outra e a todas que se aproximam, sempre reclamando da insuficiência alheia, sem perceberem que estão alimentando o vício do relacionamento nefasto.

Dói, incomoda, o outro só reclama, é insuportável, neurastênico. Ela só reclama, quer controlar, é insuportável, bagunçada, quer mandar em mim. *E ninguém manda em mim* – frase solene dita com graça ou com raiva em momentos especiais.

O teatro silencia. E agora? Será que será ouvida, rebatida, esquecida por outra frase, movimento, suspiro, reclamação, negação e aviltamento? Você já viveu essa ilusão de achar que alguém, por bondade e amor, vai mudar? Já se considerou capaz de transformar pessoas, situações e países? Capaz de salvar o mundo dos vírus que nos destroem? Vírus é veneno.

E os três venenos raiz da mente humana são a ganância, a raiva e a ignorância. De alta transmissibilidade, podem contaminar milhões de pessoas em segundos. Impressionante que até mentes brilhantes de cientistas, ativistas sociais, magistrados, faxineiros, professores, bancários e banqueiros, garis e empresários – todos podem ser atingidos e envenenados.

Máscara, distanciamento social, higienização, vacina, drogas e cuidados especiais podem e devem ser compreendidos em vários níveis. Proteção da boca e do nariz, para não falar e não inspirar venenos mortais. Será necessário também proteger os olhos e os ouvidos para ver com clareza e ouvir com certeza o que está a acontecer. Tal qual na realidade que o coronavírus impôs, distanciamento social também funciona para se afastar de quem só fala coisas negativas, mente, engana, quer tirar vantagens, quem agride, discrimina e fere. Se acaso se aproximou de áreas de risco, lave bem as mãos – mas não como Pôncio Pilatos.

Lavar as mãos para limpar o pegajoso contato com as forças do mal, que dividem, segregam, abusam. Não levar isso para casa ou para o trabalho; não levar isso para as lojas, o carro, o ônibus. Álcool em gel ajuda em momentos sem torneiras.

Uma prece, as mãos juntas, e não espalhar o mal nem se esconder.

Vacinas possíveis através da prática da plena atenção, do inspirar e expirar consciente, de oxigenar as células e desenvolver condições de clareza mental. Drogas, remédios, cuidados especiais são o que ingerimos para a cura: que sejam afetos e compreensões, pitadas de ternura acompanhadas de inteligência e compaixão.

Não é apenas a pandemia que nos perturba. Há vírus muito mais antigos, que nos permeiam desde o princípio da humanidade. Venenos a nos perturbar, a nos levar a cometer maldades. Podemos escolher não os usar, não os receber, não os transmitir... Só depende de nós, das sementes que resolvemos regar, cuidar, deixar crescer e se multiplicar. Sempre é possível cessar um processo pernicioso: primeiro, é preciso perceber, notar, atentar, ver, reconhecer; depois, procurar especialistas que nos ajudem a vencer as artimanhas daqueles que espalham venenos nos céus, nas terras, nas águas e nas mentes. Em seguida chegam os remédios, as vacinas, as curas, em geral acompanhados de sabedoria e ternura.

Preste muita atenção em você, em suas palavras, seus gestos e suas ações. Veja se não está se deixando levar por raiva, incompreensão, rancor, angústia e desolação. Pegue uma pitada de argila de qualquer cor e misture com uma gota de água do mar. Amasse, misture até ficar firme e modelável – pode ser no formato de pomba, girafa, camelo, amendoim, batata ou peixe-boi. Terminada a forma, sopre o sopro da vida.

Deixe esse ser livre para ir e vir. Observe estrelas e cometas, tome conhecimento do equilíbrio entre os planetas, o Sistema Solar, a Via Láctea.

Encontre poetas e aprenda a ouvir estrelas, então confirme a certeza infinita de que há vida em tudo que é, com alma, espírito, sentimento, sensibilidade, das moléculas das pedras às crianças rindo e chorando – algumas por fome e doenças, outras por birras e descrenças.

Desequilibrado equilíbrio a ser restaurado. Justiça. Semente que brota do fundo da gente e nos leva a agir, distribuir, compartilhar – mesmo que seja com um só olhar.

> Você já viveu essa ilusão
> de achar que alguém,
> por bondade e amor,
> vai mudar?

A lda se apaixonou perdidamente por João, um segurança que trabalhava em sua rua. Ela economizava o salário para comprar presentes para ele, que os aceitava, mas não queria ser visto com ela em público.

Ele marcava encontro em lugares distantes, e ela não podia andar ao seu lado. Precisava caminhar do outro lado da rua. Na calçada oposta. Ninguém podia vê-los juntos – e não só por ele ser casado, coisa que poucos sabiam, mas também porque ele a achava feia.

Alda, por sua vez, não pensava em beleza – pensava em amor, carinho – e a tudo se submetia para ter um olhar de João, um sorriso, um aperto de mão. De vez em quando, um beijo escondido num beco escuro. Alda vivia na fantasia. E, quando ele sumiu, ela sofreu, chorou, nunca mais amou.

Anos se passaram, João ficou careca e perdeu os dentes. Estava fraco e solitário. *Por onde andaria aquela menina feia de sua juventude?* Ele passou no local onde ela um dia trabalhara, mas lá ninguém mais sabia de Alda. Ele andou pelas ruas, procurando nas esquinas, até que, numa tarde, cansado, sentou-se na escada onde pela primeira vez a beijara.

Tinha sido numa noite escura, sem lua, sem estrelas. Agora, na escadaria, flores brancas perfumadas brilhavam ao luar. Ele chorou baixinho se lembrando do tênis, dos jeans, das camisetas, dos presentes sem fim. Lembrou-se de suas maldades e da ternura que recebia em troca de um olhar. Uma vez abandonado pela vida, nada mais importava. Falassem o que falassem, ele precisava de colo, de amor, de ternura. Foi buscar no fundo da memória aqueles breves meses em que fora realmente amado.

Ouviu passos, achou melhor se levantar. Conforme se mexeu, uma lanterna bateu em seu rosto.

"O que está fazendo aqui, mano?", indagou uma voz grossa e forte.

"Vim buscar meu passado."

"Seu passado passou", respondeu a voz grossa e forte.

João só via a luz, acompanhava uma voz sem face e perguntou de supetão:

"Você, por acaso, ouviu falar de Alda, uma empregada doméstica que trabalhou neste bairro há uns trinta, quarenta anos?"

"Mano, tu tá perdido. Vai passando aí o celular e a carteira; se tiver aliança, me entrega. Tira tudo, até os tênis. Isso é um assalto."

O assaltante não conhecera Alda e não entendeu que roubava apenas objetos sem importância. O amor de Alda ele nunca, nunca, nunca arrancaria de João. Este sorriu e se despiu à sombra das flores brancas. A voz grossa desapareceu, a luz sumiu.

Seus olhos não enxergavam nada ou enxergavam apenas o nada. Vazio de si mesmo, João se encolheu, adormeceu e sonhou com a jovem feia que o amou e mimou.

Quando amanheceu, policiais o levaram coberto por um pano sujo e malcheiroso. De dentro da viatura, ele viu passar na rua uma senhora de cabelos brancos. Arregalou os olhos e a reconheceu: Alda. Alda estava viva. Seu olhar ganhou visão. Seria mesmo ela ou fora imaginação? Nunca saberia, nunca voltou àquela escadaria.

Alda viu a viatura levando alguém e, por um instante, pensou em João, seu grande amor. Olhou para as escadas, enxugou uma pequena lágrima e nada mais. Era noite sem lua.

A vida tem encontros e desencontros, sementes de bondade e de ternura que ficam para sempre, mesmo naqueles incapazes de amar, de retribuir. Naqueles que algum dia vão sentir saudades de um gesto, de um olhar que não volta mais.

Ah, quem me dera ser um homem forte e grande, poderoso e temível, para caminhar pelas ruas de cabeça erguida. Quem me dera ser uma mulher delicada e pequena, frágil e gentil, para caminhar pelas ruas com alegria. Quem me dera saber surfar ondas gigantes e me atirar nas águas, com a prancha e o mar. E quem me dera poder amar e ser amada, flutuando no vazio ao esvaziar-me de mim.

Conheço um poema sobre uma formiga que ficou com a pata presa na neve. Não lembro bem o texto, mas citava muitas formas de vida, uma querendo ser como a outra para ficar bem, se livrar de amarras, libertar-se, até que o sol diz que gostaria de ser um simples vaga-lume.

Pensamentos assim passam por nós: *Eu gostaria de ser alguém diferente de quem sou, mas nem sei mesmo quem sou.* Nunca parei para observar em profundidade, com a leveza de uma pluma. Observar, compreender e acolher os múltiplos aspectos que em mim habitam, que em nós habitam. Somos uma multiplicidade de facetas, memórias ancestrais, DNAs misturados e reciclados. Somos a vida plena em transformação. E nem sempre somos capazes de observar fundo, ao longe, com compaixão.

Contudo, esse modo de observar pode ser educado, treinado, praticado, provocado, desenvolvido, e com isso nós podemos nos maravilhar a cada instante da existência e agradecer. Ou esquecemos o milagre da vida, ainda em vida. Reclamamos, resmungamos, brigamos, não sabemos compreender nem acolher pensamentos e pessoas – nem nós mesmos. Quando formos capazes de nos compreender e compreender a vida, incluiremos erros e acertos, falhas e novas tentativas – todos aspectos preciosos ao ser humano.

Entretanto, perceber e acolher não é suficiente; é preciso aprender a corrigir falhas e erros para não os repetir. Reconhecer e transmutar. Nunca diga "eu sou assim e pronto". Não funciona dessa forma. Inúmeras causas e condições fazem com que nos manifestemos de determinada maneira em certa ocasião. Depois, passa.

Recentemente, uma cantora lançou uma música com a seguinte frase: "sou assim até mudar". Que lindo! É exatamente isso: estamos todos em processo de mudança, de transformação. Neste exato instante, escrevo e penso assim, mas não sei como será em alguns dias, semanas, anos, instantes. Meus interesses de agora não são mais os que eu nutria quando, menina, esperava o Natal para encontrar presentes sob uma árvore verde com algodão branco e bolas decorativas frágeis e coloridas – em casa, tivemos árvores de diferentes tamanhos e formatos.

Quando meus avós estavam vivos, celebrávamos o Natal com uma festa.

Vovó era Filha de Maria e queria ser freira católica, mas meu bisavô a fez se casar com meu avô, que era primo dela. Licença especial de Roma. Primos se casando entre si. Ele tocava violão e cantava, era alto, de mãos finas, dedos longos, cabelos ondulados, pele branquíssima e usava bigode; ela era linda, pequenina, delicada e declamava poesias até mesmo em francês, tocava piano e se encantava com danças e ao tocar minueto.

Apaixonaram-se. Tiveram seis filhos, dos quais três morreram – dois pequeninos e uma com 21 anos. Inesquecível a dor, eterno o amor.

Na velhice, jogavam baralho na mesa forrada de feltro verde.

Quantas vezes presenciei o gesto amoroso das mãos brancas de dedos longos e perfeitos de meu avô pousando suavemente sobre as mãos também brancas, mas de dedos tortos pela artrose, de minha avó. Ela lixava as unhas de forma a ter uma ponta bem fina no centro e as mantinha compridas, sempre com esmalte delicado, rosa antigo. Usava Leite de Rosas – que perfume doce – e muitas vezes passava um produto azulado nos cabelos brancos, sempre protegidos por uma redinha fina. Às vezes errava a dose e aparecia de cabeça em tom azul--claro.

Vovó se orgulhava muito de um soneto que seu pai, comendador da Ordem da Rosa, Eugênio Leonel, fizera para ela:

"Tens um porte tão leve e tão faceiro
E uma alma tão bondosa e pura
Que nem sabe teu pai se a formosura
Ou se a bondade deva amar primeiro.

O teu sorriso alegre e fagueiro
É um alívio ao pesar que me tortura
Nesta vereda da existência escura
Que trilho, como eterno forasteiro.

Ris, entretanto quando ris nem pensas
No pélago das dúvidas imensas
Em que por ti, minha alma aflita nada.

Mas não importa, o teu futuro ponho
Diáfano e constelado como um sonho
No seio de Maria Imaculada."

Vovó, que agora portava suas rugas, carregava em sua bolsa – além de um terço, um lenço, documentos de identidade – uma foto de quando era jovem. Retirava da carteira a foto antiga, com os cabelos altos presos e o vestido claro, fechado, e dizia: "Eu fui bonita".

Contava que, certo dia, caminhando com sua irmã pela rua Barão de Itapetininga, em São Paulo, um jovem exclamou ao vê-la: "Nunca vi mais linda! Nunca vi mais linda!". Ela nunca esqueceu o elogio. E seguiu vaidosa, postura ereta, sorrindo, rezando o terço, comungando, sempre procurando por algum padre que a ouvisse em confissão e a repreendesse. A maioria sorria de seus pecados e só pedia três ave-marias antes da comunhão.

"Assim não está certo. Eu tenho meus erros e faltas."

Para o confessor, porém, parecia que os erros e faltas de minha avó não eram nada. Mas ela queria a perfeição de si mesma e não se perdoava por uma palavra mais ríspida, um pensamento ou um gesto rude.

Quando aprendi a dizer palavrões – ninguém em minha casa usava expressões chulas pesadas –, eu me divertia repetindo os termos para ela, que me ouvia sentada na cadeira escura de veludo marrom enquanto rezava o terço. Aliás, eu só o fazia quando meu amado vovô não me ouvia. Ela apenas se benzia e dizia: "Cor Jesus Sacratíssimo".

Saudades de você, vovó.

Você morreu, vovô morreu, mamãe morreu, tios e tias morreram, e, com isso, a ceia de Natal morreu também. Minha irmã celebra com suas filhas, genros e netos, mas não é a mesma coisa. Vovó queria ir para a Missa do Galo.

Lembro que, uma vez, fomos à Igreja de São Francisco de Assis, no largo de São Francisco, tarde da noite. Mamãe guiava um Ford 1951 azul com banco inteiro na frente. Vovô estava ao lado. No banco de trás, seguíamos vovó, minha irmã e eu. Papai havia se mudado. Casara-se com outra senhora e tivera uma filhinha loira de olhos azuis.

São memórias de Natal: ceia preparada com esmero, presentes embaixo da árvore. E, o mais importante, celebrar o nascimento de Jesus. Papai vinha durante o dia e escondia os embrulhos, que só eram colocados na noite de Natal. Quando pequena, sempre acreditei que Papai Noel desceria pela chaminé e colocaria meus presentes ali.

Em determinado ano, minha irmã me chamou: "Venha quieta". Pé ante pé, nós nos escondemos e assistimos a meu pai sorrateiramente esconder os presentes sob a escada. Nessa tarde, Papai Noel morreu. Mas não foi triste nem nada. Foi o encontro com a verdade, sem lamentações, prantos, raiva, tristeza nem alegria. Devia ter razões para nosso pai fazer assim. Ele soube que nós sabíamos e não escondeu mais embaixo da escada os presentes. Papai nunca passou o Natal conosco, mas estávamos acostumadas, nunca sentimos sua falta. Vovô e vovó nos entretinham, mamãe cuidava da ceia e do transporte — "motorista não remunerada", reclamava algumas vezes. Tia e tio podiam estar ou não conosco.

Uma vez, compraram um peru. Embebedaram o peru. E eu não queria que o matassem, mas não adiantou. Eu não comi meu amigo peru, com quem corri pelo quintal. Muitas crianças contam histórias semelhantes. Naquela época, minha mãe comprava frangos vivos, os quais ficavam em gaiolas. Minha mãe, com olhar experiente, pedia ao vendedor que pegasse este ou aquele. Galinha não, que a carne é mais dura. O homem que vendia as aves vivas – havia um cheiro bem específico nesse lugar – segurava o frango, ao que minha mãe soprava as penas para ver se a pele era amarelada. Se houvesse marcas escuras, era por ter tido tuberculose ou outra doença, então não servia. Só comprava os de pele amarela, sem manchas nem marcas.

Ela também crescera em fazendas pelo interior de São Paulo: Avaré, Itapetininga e outras áreas rurais. Em meio a leite tirado na hora e café moído logo antes de passar. Mimos de um passado, fragmentos de memória. Lombo de porco ao forno, pasteizinhos de queijo minas ou carne moída, depois trocados por empadas abertas de massa podre recheadas de queijo. Aos domingos, após a missa, algumas vezes havia vinho adocicado, do qual cada um bebia um pouquinho. Sempre sobrava um pouco na garrafa, mesmo que fossem seis adultos. Em algumas ocasiões especiais contávamos com sucos naturais, refrigerante só nos aniversários...

Essas memórias de sentimentos e emoções estão devidamente guardadas no grande arquivo central, que tem de tudo, do passado mais distante, de vidas que nem sei quais foram, ao que acontece hoje. São fragmentos, sementes, que quando acionados sobem para a consciência e nos fazem lembrar – por vezes com detalhes. Quando converso com alguém dessa época, percebo que nossas memórias não são iguais. E como escrever um livro de memórias, se cada um de nós vê e entende as coisas de um jeito? Se cada um lembra de forma diferente, se cada um está em um ângulo diferente, num momento de percepção marcada por nossos apegos e aversões? Mesmo assim, escrevemos memórias e oficiamos memoriais.

In memoriam de mim.
Aquela que fui já não é
E nunca voltará a ser.
A que sou é passageira,
Muda e se transforma querendo e sem querer.
Somos sementes dos futuros seres que habitarão o planeta,
Podemos facilitar para que surjam árvores fortes e firmes.
Cuidar do solo e verificar o vento, a chuva, o amanhecer, a lua, o sol, a seca, a tormenta, os insetos, os roedores.
Proteger, escolher quem se vai proteger, é intervir na vida silvestre.
Estamos sempre interferindo sem saber muito bem para onde vamos nem se o que fazemos será benéfico nos séculos seguintes.
Amém.

Não, ele não era um menino bonzinho. Era inteligente, levado e... superdotado. Brincava, brigava, se escondia, espiava tudo e experimentava a vida. Irrequieto, nervoso, mexia a perninha, chupava o polegar. Caía e se levantava. Hoje talvez dessem Rivotril para uma criança assim. Ele teve sorte de não ser o costume da época nem da família. No máximo cogitavam água com açúcar para acalmar a ferinha.

Cresceu entre correntes fortes de ensinamentos éticos, com pai e mãe severos. Como toda criança, olhava, apreendia, crescia. Tornou-se adulto, homem importante, foi secretário de Estado. Em casa, porém, era brincalhão. No trabalho, era temido. Mas, como tudo, o tempo passou, e ele envelheceu e morreu idoso, cercado por filhas, netos e netas.

Qual é o sentido da vida? Que sementes semeou o menino agitado, levado, aluno aplicado?

Foi ele quem instalou o primeiro computador no estado de São Paulo. Não é necessário que se lembrem de seu nome ou sua foto. Mas eu sei. Foi ele quem encomendou aquelas máquinas imensas, que ocuparam totalmente salas e salas. Era o progresso chegando, com muitas mudanças e nos demandando adaptações.

Hoje, com meu computador pequeno, aqui em minha mesa, já nem olho para o teclado e vou digitando da maneira como aprendi a datilografar. "Datilografar", palavra em desuso. Foi a datilografia que me treinou a digitar com certa rapidez e sem precisar olhar as teclas. A mente humana é surpreendente, em constante adaptação.

Vamos deixando rastros sem pegadas, como pássaros. Que importa a foto, o nome de uma rua, a estátua em uma praça? Cada um de nós vai semeando por onde passa. Podemos semear amor, ternura, compreensão; podemos semear raiva, rancor, incompreensão – e nem sempre percebemos o que estamos fazendo, falando, pensando. Ainda assim, cada gesto, palavra ou pensamento transforma as relações, as inter-relações, com todos e tudo relacionado a tudo e a todos. *Interser*. Ligados e interligados, desde o passado mais distante até o futuro longínquo.

Quem faz você ser quem é?

"Quem faz você ser quem é?"

Fertilidade, reprodução, continuação da espécie. Sementes das sementes, renascendo a cada geração, portando mensagens antigas sobre órgãos internos e formas externas. Nariz da tia, olhos do bisavô. Sentou-se como sentava-se a avó, com quem nunca convivera. Seus pais haviam se separado logo após seu nascimento. Talvez tivesse ido brincar na casa da avó umas duas vezes. Por que repetia os gestos dela? Também tinha as formas do corpo semelhantes, as brincadeiras, o sorriso. E gostava de uísque com gelo, como a avó.

A mãe, que convivera com a sogra em intimidade, quase não acreditava na semelhança. De repente, um gesto, um movimento, e a mulher renascia bem a sua frente. Claro que a menina era muito mais bonita que a sogra, além de mais alta e mais alegre. Formou-se em Psicologia. Passou por alegrias e tristezas. Foi traída, enganada por seu grande amor, que acabou com a fortuna herdada após a morte de seu pai. Esteve meses, anos, em depressão.

Passou. Casou por amor. Teve uma filha. Depois da traição do marido, quando ainda amamentava, ficou só por anos. Finalmente se casou pela segunda vez com alguém muito parecido com o marido da avó.

Se havia semelhanças entre as duas, físicas e comportamentais, havia diferenças. Por exemplo: a neta não jogava bridge no clube, embora mantivesse, como a avó sempre mantivera, um grupo grande de amigos. Se a avó deixava a casa aberta às quartas-feiras à noite, para jantares, festas, jogos e conversas, a neta era mais livre e solta, sem dia fixo para encontros e desencontros.

A avó acobertava as relações extraconjugais do filho. A neta era severa sobre fidelidade nos relacionamentos. Não expunha, mas também não acobertava ninguém.

A neta tentou aproximar-se da família do pai morto. Ficou por uns tempos amiga de uma prima, mas se afastaram.

Pensando na semelhança em termos de gostos, gestos e atitudes dessa avó, qual seria a explicação? Genética? Memórias ancestrais? Essa sogra se pareceria com quem? Era fruto de qual semente? Quantas sementes diferentes foram (ou são) responsáveis por quem somos hoje? Somos resultado de enxertos, cruzamentos; somos sobreviventes de nós mesmos. Material reciclado, que guarda lembranças, memórias, aparência do que fora antes da reciclagem. Somos a mistura de um passado distante. Todos juntos e misturados.

Assim sendo, não deteste ninguém, não sinta aversão por sua sogra, pois, quem sabe um dia, a antiga sogra se tornará sua filha e você conviverá com ela até o fim dos seus dias, com muito amor.

Meditar facilita a percepção das sementes em nós. Ao nos darmos conta de quando são acionadas, podemos decidir se as deixamos crescer ou se as mantemos guardadas. Nada de matar ou exterminar; afinal, há razões para que existam em nós inúmeras possibilidades de ser, agir, pensar e ser. Nada a cancelar, destruir, apenas a colher, reconhecer e perceber se essa manifestação é necessária no momento ou se deve repousar.

Podemos fazer escolhas. Que sementes queremos acionar? Quais queremos que se aquietem?

Há pessoas querendo congelar o próprio corpo para reaquecer séculos depois. Imagine morrer hoje e renascer em duzentos anos? Saberá usar a tecnologia? Poderá comer os alimentos? Seus pulmões estarão acostumados às mudanças? Pense ainda mais adiante. Mil anos, dois mil anos.

Vamos acompanhar uma jovem cuja mãe, em desespero por sua quase morte, conseguiu que fosse incluída como voluntária em um programa inovador: gelar e hibernar até quando houvesse cura para seus males.

Anos mais tarde, a mãe também ingressou no projeto e foi colocada em sono profundo para acordar

na mesma data da jovem filha. A mãe se esquecera de morrer, viveu até não poder mais e só então se lembrou do voto de reencontrar a filha mil anos depois. Já estava de cabelos brancos e tinha dentes fracos quando entrou no processo de hibernação. E tantas coisas aconteceram nesse milênio...
　Os computadores antigos conseguiram a proeza. Embora velhos e fora de uso havia séculos, foram precisos: na data marcada, iniciaram o lento processo de as despertar. Talvez tenham se passado dias, semanas, meses, até as tampas se levantarem e simultaneamente as duas soltarem um bocejo milenar, provavelmente com algum bafo, mau hálito de ter ficado sem comer nem beber. Também por isso, logo a fome e a sede despertaram. As duas olharam à volta. As últimas memórias antes da hibernação surgiram.
　A jovem se lembrou do acidente, viu as cicatrizes e ainda sentia dor. A mãe se lembrou do cientista que a colocou na câmera de hibernação. Teria a filha despertado? Estaria bem?
　Como em uma dança sincronizada, ambas se sentaram. Olharam-se.
　Mamãe envelheceu...
　Minha filhinha...
　Continuaram se olhando, em silêncio.
　Havia alimentos e líquidos dentro da câmara, e era o que elas deveriam comer primeiro. A mãe sabia e deu o exemplo. Comeram e beberam produtos estranhos, sem gosto específico. Sair das câmaras era correr riscos – o que estaria acontecendo no planeta? Olharam ao redor, sem reconhecer a

caverna nem os equipamentos especiais. Havia mais uma câmara e um senhor despertando. Era o cientista que as induzira a mil anos de hibernação. De repente, ouviram ruídos fortes. Os ouvidos estavam sensíveis, bem como o olfato e a visão. Seres humanos vestidos de forma nunca vista entraram no ambiente. Tinham olhos grandes – seriam robôs? – e usavam capacetes que os protegiam dos viajantes no tempo. Essas figuras ajudaram os três a sair das câmaras e os acomodaram em cadeiras especiais, que imediatamente iniciaram movimentos de pernas, braços, quadris para a recuperação da musculatura perdida. Quanto tempo passaram nessa recuperação, ninguém saberia dizer. Não havia relógio nem calendário. Estavam fracos e não conseguiam falar. Comunicavam-se por imagens mentais, até o momento em que receberam capacetes e roupas semelhantes às dos robôs e puderam caminhar para outro local.

Caminhavam devagar e sem curiosidade. Estavam em um subterrâneo de concreto armado. Haveria Sol, Lua, estrelas? Haveria amor e amizade? Não sabiam; além disso, estavam exaustos e sentiam a mente anestesiada.

A mãe se aproximou da filha e tocou sua roupa. A filha a olhou assustada. O cientista sacudiu a cabeça em desaprovação. Sentiam que estavam sendo vigiados e acompanhados por olhares indagadores, por câmeras ocultas e lentes visíveis.

Entraram em uma sala onde os despiram completamente e uma fumaça esbranquiçada tomou conta de tudo. Parecia ser uma purificação, algum

tipo de desinfecção. Lá ficaram por um tempo, tempo agora sem dimensão. Saíram nus. E, como havia luz solar, as pálpebras, apressadas, cobriram os olhos. Depois, pouco a pouco, por entre os dedos, viram o mundo de mil anos depois.
 O que terão encontrado? Sentiram medo, aflição? Que línguas os povos falavam? Havia cidades, estradas, vilarejos? Havia árvores e flores, frutas, verduras? Crianças? Brigas, afetos, guerras, solidariedade?
 Como estará a humanidade daqui a mil anos?
 Podemos imaginar mundos perfeitos, amorosos; redomas e povos isolados; desertos e fome; perversões e abusos. Podemos imaginar o planeta vazio, seco, e a humanidade viajando por outros planetas, outras galáxias. São inúmeras as possibilidades. Entretanto, pergunto-me se haverá cura para as várias formas de câncer, para os vários vírus que possam surgir. Questiono se acontecerá o despertar da humanidade como um todo, finalmente livre da ganância, da raiva e da ignorância.
 As crianças terão voz, sem serem impedidas de falar? Homens e mulheres viverão em equidade? Teremos governos descentralizados ou será que poderemos viver sem nenhum governo, cada qual participando e compartilhando inteligência, ideias e alimentos, remédios, curas e respeito? Será que em mil anos seremos capazes de despertar e cuidar, um por todos e todos por um?
 Será que as sementes do bem que estamos plantando, adubando, regando vão florescer? Será que vingarão (não de vingança, mas de pujança)?

Quando jovem, li a ficção científica de Isaac Asimov sobre um homem todo tatuado. O corpo repleto de desenhos, como hoje é tão comum na periferia, nas elites, nos jardins, na polícia, nos jogadores de futebol, em esportistas, skatistas e artistas. Esse homem tinha apenas nas costas um espaço em branco, sem tatuagens, no qual o futuro de cada pessoa que olhasse atentamente se manifestava.

Você quer saber o futuro? Para quê? Certamente vai morrer. Quer ver como será sua morte? Será que tudo já se encontra escrito ou vem sendo escrito agora por nós?

Há sempre uma curiosidade pelo mistério inacessível do morrer. Querer saber o futuro – na palma das mãos de cada pessoa, nas cartas de um baralho, na borra do café, nas nuvens, nas estrelas, nos sonhos, nos presságios. E nos esquecemos de apreciar o agora, sem perceber que sempre foi assim, que nunca soubemos o que aconteceria no minuto seguinte ao minuto em questão.

Ansiedade.

Saber para controlar? Saber para se preparar? Você já preparou seu enterro, seu velório, sua morte? Escolheu flores, música, caixão, roupas e discursos? E depois, vai renascer em algum lugar específico? Será que há um renascer ou um constante vir a ser?

Há um tipo de computador gigantesco onde todos os dados de todos os passados futuros e presentes estão armazenados? Esse equipamento é sempre renovado ou fica ultrapassado? Será algo casual ou causal? Que diferença faz uma letra!

Reflita um pouco, pare de ler e pense: você quer mesmo saber o que está por vir a ser? Observe como se sente agora. Respire e regule seus batimentos cardíacos e sua percepção da realidade; afinal, o que será depende do que estamos fazendo e como o estamos fazendo no presente.

> E nos esquecemos de apreciar o agora, sem perceber que sempre foi assim, que nunca soubemos o que aconteceria no minuto seguinte ao minuto em questão.

Esperança é o nome popular dado a um inseto bem verde. Seu nome científico é *Tettigonia viridissima*. Ele é diferente de outros insetos da família Tettigoniidae, da ordem Orthoptera, com 22 subfamílias, 1.318 gêneros e 7.886 espécies.

Não confundir com o louva-a-deus, inseto que junta as patinhas da frente e parece ter as mãos em oração, mas que é um grande predador, devorador até mesmo de outros louva-a-deus, além de aracnídeos, anfíbios, lagartos e passarinhos pequenos.

A esperança se alimenta de plantas, frutos, flores. Só mesmo quando faminta pode devorar outras esperanças. Tem vida curta, aguenta apenas um verão. No inverno, morre de frio, mas, antes disso, no fim do outono, as fêmeas põem ovos. Na primavera, surgem as ninfas da esperança. Primeiro como lagartas, depois parecendo folhas. Quando bebezinhas, são avermelhadas, então, ao iniciar a alimentação, vão se tornando verdes.

A esperança é uma das três virtudes teologais, com a fé e a caridade. Representada por uma âncora, estabiliza a mente nos momentos difíceis. Símbolo de firmeza, força, tranquilidade e fidelidade.

É verde como a maioria das matas e simboliza a natureza. É verde também como a cor usada na graduação da medicina.

Esperança de cura, esperança de um mundo melhor, esperança de menos abusos e preconceitos, esperança de maior equidade e respeito, esperança de restaurar a vida natural e o prazer na existência, esperança de ver o término das guerras, dos ódios e das vinganças. Esperança de construir, fazer acontecer, jamais desistir.

Esperança de esperançar, insistia Paulo Freire. Esperançar é se levantar e ir atrás do que se quer, é não desistir, levar adiante, construir, juntar-se com outras pessoas para agir e atingir seus objetivos. Resiliência e atividade são a esperança do verbo "esperançar".

Precisamos sair de nosso aparente estado de conforto ou conformismo e investigar em profundidade os reais acontecimentos e as verdadeiras intenções – nossas e de outras pessoas, de governos, de sistemas sociais. É preciso olhar em profundidade os lamentos do mundo. Isso compreendido, vem o segundo momento, o de agir para transformar, para minimizar dores, sofrimentos.

"Esperança" é uma palavra de origem latina. *Spe* significa "expandir", "aumentar", "ter êxito", "levar projetos adiante" e é diferente da esperança de origem grega, *elpis* – "aguardar", "esperar".

"Quem sabe faz a hora, não espera acontecer."[1]

---

[1] "Pra não dizer que não falei das flores". Interpretada por Zé Ramalho. Escrita por Geraldo Vandré. Produção de Robertinho de Recife.

Quando queremos bem a alguém, desejamos que a pessoa prospere. E o que é prosperar? Seria seguir valores mundanos de fama e fortuna ou se aprofundar na verdade e no caminho? A palavra "prosperar" é junção de *pro* e *spere* (de esperança) e significa "evoluir".

Que tipo de evolução consideramos benéfica para o planeta? Que evolução será melhor para os seres humanos? A inteligência, o pensar, pode nos facilitar os processos evolutivos; entretanto, se não houver coração, afeto, ternura, podemos criar pensamentos tóxicos e nefastos que levam a guerras e extermínios. A evolução tem a forma de uma espiral ascendente ou descendente – estamos subindo ou descendo? Viemos do céu ou estamos indo à plenitude?

As mudanças de comportamento seguem uma cadeia espiralada, não uma linha reta. É mais como uma escada curva e ascendente. Aliás, assim também é, dizem os cientistas, o movimento de todos os astros. Tudo está em movimento espiral ascendente.

Nós, como indivíduos e como coletivo, estamos em constante movimento, nos transformando e sofrendo mutações. Claro que pode haver derrapadas, escorregadas, mas a esperança de esperançar não nos deixa desistir. De novo, nós nos levantamos e recomeçamos a subida. Há momentos íngremes e difíceis, há momentos suaves e fáceis. Assim é a vida.

"Cair sete vezes, levantar-se oito" era o ensinamento do monge indiano Bodidarma, considerado fundador do zen na China, século VI. Bodidarma (ou Bodaidaruma, Engaku Bodaidarua Daiosho) era filho de rei, tornou-se monge e, seguindo instruções de seu mestre Hannyatara, foi para a China transmitir o verdadeiro Darma, o ensinamento correto transmitido de Buda a Buda, de geração a geração. Tornou-se figura não só histórica, mas folclórica. No Japão, por exemplo, criaram um bonequinho vermelho, com um peso maior na base para balançar de um lado para o outro, mas sempre voltar ao centro de equilíbrio.

"Levanta, sacode a poeira e dá a volta por cima."[2] O equilíbrio só existe porque há desequilíbrio. Estamos todos sempre nos reequilibrando, sem desistirmos de nós ou da vida.

Quem sabe usar a âncora da esperança no momento certo, no local correto e de forma adequada sabe que seu barco da vida não ficará à deriva. Pode enfrentar tempestades, furações, vulcões em erupção, tsunamis, terremotos, alagamentos, guerras, desmatamentos, incêndios, barragens rompidas, pandemias, dores, sofrimentos e se levantar, reerguer casas e cidades, restaurar relacionamentos e reaprender a amar, agradecer e cuidar.

O que você faz, fala e pensa afeta o todo. O coletivo reflete em cada um. Logo, mantenha a luz verde acesa e lembre-se de nunca matar o pequeno inseto esperança, pois ele é inofensivo. Não use inseticidas, não jogue veneno no ar, na terra, nas águas que são a própria vida. Nunca mate a esperança, nunca rompa essa corrente presa à âncora da esperança. Que

---

[2] "Volta por cima". Interpretada por Elza Soares. Escrita por Paulo Vanzolini.

sempre haja estabilidade, firmeza, força e fidelidade na reconstrução e na continuidade da existência.

As virtudes – e entre elas a esperança – são pequenas sementes que podemos cultivar e estimular na vida diária. Eu posso, você pode, todos temos a mesma condição de esperançar e proporcionar a cura para o bem de todos os seres.

Possa o coronavírus encontrar hospedeiro adequado e desistir do ser humano – foi com esse pensamento que Leonardo Boff me estimulou a orar durante uma palestra on-line que ele proferia a alunos da Faculdade de Medicina do Rio Grande do Sul, em 2021. Desde então, assim tenho feito, assim tenho orado.

Que as mutações, as novas cepas encontrem outro hospedeiro, com o qual façam simbiose – ou seja, vivam em harmonia, sem causar males nem a morte do hospedeiro.

Nossas preces e orações nunca devem ser de extermínio, mas de inclusão, de saúde, de transformação benéfica.

Sementes do bem, cultive-as.

"Estabilidade", gritam os pais na América do Norte, "nossas crianças precisam de estabilidade". Será mesmo? Num mundo instável, só podemos educar e formar pessoas capazes de encontrar o equilíbrio em meio ao desequilíbrio. Pessoas capazes de fluir com as necessidades do momento. Hoje a escola está fechada e amanhã se encontrará aberta novamente; hoje estamos sem máscaras, amanhã as colocaremos outra vez.

"Não há nada seguro neste mundo" – foram estas as palavras finais de Xaquiamuni Buda pouco antes de adentrar parinirvana, com 80 anos de idade. No entanto, queremos estabilidade, uma rotina sólida, ainda que não a alcancemos.

Pais e mães querem crianças e adolescentes nas escolas – e talvez não apenas pela questão educacional. É difícil conviver com filhos e filhas que demandam atenção e afeto, que precisam de apoio em estudos e decisões, que necessitam de entretenimento e, ao mesmo tempo, recusam opiniões e sugestões. São desobedientes, rebeldes, insatisfeitos. Se ficassem na escola o dia todo, ou ao menos durante meio período, já aliviaria a tensão em casa;

além disso, fariam lá ao menos uma refeição, estariam aprendendo e se distraindo com colegas.

E os abusos nas escolas? E os dramas de adolescentes entre seus pares? Aumentou o número de suicídio entre jovens? Teria sido reflexo da instabilidade da pandemia ou seria um processo de curva ascendente resultado de nada ser feito para impedir transtornos psíquicos?

Como não costumamos falar de suicídio, não divulgamos os casos, ficamos sem saber se escondendo os fatos eles deixariam de ocorrer em tanta frequência. Mas esse raciocínio não é correto. Pensemos em uma avestruz... esconder-se para se proteger não protegerá.

É hora de analisarmos o desencanto com a vida, a desesperança, sentimento que independe do isolamento presencial. Aliás, hoje as pessoas estão mais próximas nas redes sociais que presencialmente. E não éramos nós, adultos, a reclamar dos jovens fechados no quarto e mantendo contato apenas virtualmente?

Rememorando situações complexas, podemos pensar nos massacres ocorridos nas escolas dos Estados Unidos ou do Brasil, quando não havia covid-19, quando todos frequentavam de forma regular as instituições de ensino. Ou, ainda, na discriminação, no preconceito, no bullying e nos abusos de professores e professoras, morais ou sexuais. Isso era estabilidade?

Convivendo com jovens e crianças, será que realmente os vemos e somos capazes de orientá-los, educá-los? Não apenas passar conteúdo didático, memorizar, mas educar para a vida, para a realidade, para lidar com o emocional em diferentes fases da existência. Aprender a ler a realidade e a transformá-la.

Lembro-me de ver na TV o presidente de Portugal, que foi professor durante muitos anos, enfatizar: "Não reclamem. Ninguém está perdendo coisa alguma. Estamos vivendo uma situação raríssima. Há tanto a ser aprendido, lembrado". A história sendo vivida por nós, assim como todas as outras áreas de aprendizado: línguas, matemática, geografia, ciências biológicas. Tudo está sendo investigado, percebido, vivenciado.

Estados emocionais de proximidade e distância, de prazer e cansaço. Amor e ódio, vida e morte, tristeza e alegria, amor e indiferença. Podemos perceber com mais facilidade quando tomamos distância de tantos estímulos. Também notamos que queremos mais estímulos para não percebermos nossa própria fragilidade, a fragilidade da construção que fizemos – tão singela que pode desmoronar nas primeiras chuvas de verão.

Desigualdade social, falta de saneamento básico, crianças, adultos e idosos nos lixões do mundo. Em toda parte, pobreza, fome, doenças, insuficiências e uma minoria se fartando de, inclusive, escolher dietas especiais. Fome existe para milhões de seres humanos em todos os continentes – sim, há pobreza, miséria, drogas, crimes, racismo, desigualdade social nos Estados Unidos, na Europa, na Oceania, no Canadá, na Índia, no Butão. Abuso de poder, negacionismo, preconceitos, racismo e tudo o que surge da ignorância, da separação e do medo dos fracos.

Fortes são pessoas capazes de ver e atuar na realidade para o bem comum, sem negar, sem fugir, com cautela, prudência e sapiência.

Estamos vivendo um momento mágico para a humanidade, uma era de grandes transformações em todos os continentes. Há inseguranças, dúvidas, surpresas e esperança. Há quem pense que nada mudou, que tudo continua como sempre foi ou que voltará a ser o que era.

O que era? Era melhor que agora ou foi apenas uma memória fantasiosa da realidade? Depende de cada um e de todos nós. Construímos, demolimos, reformamos, reconstruímos a realidade a todo instante.

Você se dá conta da importância de sua vida, sua fala, suas ações e seus pensamentos? Podemos despertar como humanidade a partir de uma mudança neural, cerebral, celular, física e metafísica, visível e invisível. E isso não para construirmos uma sociedade de exterminadores, canceladores, ladrões, caluniadores, abusadores; não para repetir os modelos do passado, amarrados aos desejos mundanos, querendo ser especiais, melhores que os outros, sem compartilhar conhecimentos e bens.

É preciso regar novas sementes: educar e estimular seres em meio a compartilhamento, sabedoria e afeto. Filhos e filhas da tecnologia, dos computadores, de uma época em que se pode fazer poesia e sonhar com a liberdade de ser, *intersendo*, sem medo de se ver cancelado, enforcado, morto e despedaçado. É possível, sim, mas há muito a ser feito. Depende de todos e de cada um de nós. O despertar que nos faz viver em harmonia e respeito com todas as formas de vida, que nos desperta o querer bem, a ternura banhada de sabedoria e cuidado. Para procurarmos em nós as sementes capazes de germinar sonhos e fantasias benéficas, utopias realistas e realizáveis. Investir na educação para formar seres atuantes, livres, pensantes, responsáveis e capazes de compreender que é possível viver sem muros, sem arames farpados, sem cercas elétricas, sem armas nucleares nem qualquer tipo de armas.

Ingmar Bergman, por exemplo, nascido em 1918, deixou sementes preciosas para diretores, diretoras, atrizes, atores, cinegrafistas, coreógrafos e todos os que trabalham nas artes dramáticas de teatro e cinema. Nureyev revolucionou a dança com sua presença, sua força, sua determinação e sua sensibilidade. Amou e foi amado. Homens e mulheres. Cuidou de Margot Founteyn na juventude, nos palcos, nas alterações que ele criava e ela aprovava. Cuidou de quem conviveu com ele, até que morressem com dignidade.

Quando morei em Los Angeles, pude assistir a uma das últimas apresentações públicas de Nureyev, no Greek Theater, que é um salão nas proximidades de Hollywood. Críticos reclamavam que Nureyev não participava de todos os ensaios, que sua habilidade de saltar e voar estava se deteriorando. Talvez fosse verdade. Mas a interpretação dele era sublime, e seus gestos, seus movimentos, sua presença ficaram para sempre gravados. Um gênio nunca perde a genialidade. Envelhece com dignidade.

Nureyev envelheceu e adoeceu quando ainda não havia remédios contra o vírus HIV. Ainda há pessoas que morrem por falta de imunidade, sabia? Pensou que a aids tivesse acabado no mundo? Hoje ela já não mata como antes, pois há remédios, tratamentos (embora haja partes do mundo sem acesso a isso). Ainda há tanto a ser feito... Agradeça, pois podemos cuidar e transformar dores em amores, tristezas em possibilidades.

Nos Estados Unidos, um monge zen de São Francisco abriu o primeiro centro de tratamento para pacientes aidéticos. Lá, *hospice* é o nome que se dá a hospitais onde há cuidados paliativos e os pacientes têm acompanhamento até depois de entrarem no trem da morte. Será a vida-morte um trem de ida e volta? Só de volta? Só de ida?

Tanto se tem falado e se pensado sobre vida e sobre morte, mas muitos não se dão conta de que esse par é inseparável, como a luz e a sombra. Trata-se de uma relação de interdependência.

As imagens íntimas do ser da câmera de Bergman, as interpretações e o estilo de Nureyev no balé – será que a grandiosidade e a genialidade se perdem? Ou são eternizadas naqueles que beberam dessas fontes? E há tantas fontes em áreas diferentes, jorrando incessantemente sabedoria, beleza, arte, harmonia e um novo olhar para o que é, foi e será.

Sementes luminosas escondidas na terra preta e sinistra das chuvas que arrastam barracos, nos tornados que levam casas de luxo, nos tsunamis que devastam cidades inteiras, nas lavas vulcânicas que queimam a crosta terrestre e esquentam os mares, nos vírus que debilitam e podem matar. Não há nada permanente neste mundo, tudo está num processo incessante de transformação, de surgir e desaparecer.

Desperte. Aprecie e aprenda. Crie e recrie a realidade. Eduque seres livres e responsáveis. Deixe que as crianças lhe mostrem o maravilhamento com a existência. Não imponha a elas seu olhar pequeno, mesquinho, aviltante, que pensa em lucro e status. Há mais a ser apreciado.

Semeie possibilidades infinitas. Cuide, regue, alimente, adube e volte a observar e agradecer a pequena folha que surge entre os escombros. Pise leve para não esmagar os imperceptíveis seres que tornam possível a terra germinar.

> Não há nada permanente neste mundo, tudo está num processo incessante de transformação, de surgir e desaparecer.
> Desperte.
> Aprecie e aprenda.
> Crie e recrie a realidade.
> Eduque seres livres e responsáveis.

Chegava à redação do *Jornal da Tarde* por volta de uma da tarde, ia direto ao pauteiro (não vive na flauta quem vive de fazer a pauta) e recebia a missão daquela tarde. Para quem não sabe, pauteiro é quem escolhe matérias/entrevistas/pesquisas a ser feitas – a decisão nem sempre é individual, pode também acontecer coletivamente, com as várias seções das quais um jornal é composto –, e o *JT*, vespertino de *O Estado de S. Paulo*, havia sido um sonho do dr. Rui Mesquita que não vingou de primeira.

Quando entrei na redação, Mino Carta e uma equipe grande haviam saído para fundar a revista *Veja*, na editora Abril. Não cheguei a conhecê-lo. O redator-chefe à época era Murilo Felisberto, homem miúdo, de cabelos grisalhos, dedos longos e muito brancos, que andava sempre com um guarda-chuva, tanto em dias de sol quanto em dias nublados. Murilo tinha uma equipe de jornalistas mineiros. Sim, das Minas Gerais, capazes de escavar e descobrir notícias, de escrever bem e de responder ao redator. Nem todos tinham acesso a essa corte. Eu, por exemplo, nunca fiz parte dos convidados para sua casa nem para refeições, tampouco para qualquer reunião ou conversa sobre o jornal ou meus textos. Era, para mim, uma figura distante, que eu via passar. O pauteiro, aquele que nos indicava os assuntos, as pessoas, os locais a ir, encontrava-se com ele e outros redatores todos os dias. As mesas eram antigas, num prédio antigo.

Eu tinha 19 anos. Foca, aprendiz de jornalista, aprendiz de repórter, recebia as instruções. Algumas vezes era acompanhada por um fotógrafo.

Geralmente entrava em um dos carros (Fusquinha) que o jornal contratava e que ficavam estacionados na rua Major Quedinho. Diferentes motoristas e diferentes carros, mais para antigos, alguns com cheiro de cabelo não lavado, suor e restos de comida, outros mais arejados. Os motoristas adoravam sair para as entrevistas, estar em contato com a notícia; ficar parado na rua era tido como castigo. Assim repórteres eram sempre bem recebidos por eles.

E lá íamos nós, cada dia uma novidade. Levávamos algumas laudas de papel bem dobradas na longitudinal e, nelas, tomávamos nota dos acontecimentos e dos entrevistados. Não usávamos gravadores. Isso veio mais tarde, quando eu já não trabalhava mais no jornal. Não havia celular nem computador.

De volta à redação, era preciso logo encontrar uma mesa e uma máquina de escrever disponíveis e iniciar o texto antes que detalhes escapassem da memória ou, o que aconteceu várias vezes, não fosse mais possível entender as anotações das entrevistas.

Todos fumavam na redação. Eu também. Cada mesa tinha um cinzeiro. Com o tempo, me condicionei ao seguinte funcionamento: se não acendesse um cigarro, não conseguia escrever.

Foram três anos intensos, com plantões alternados aos fins de semana. Encontros e desencontros. Eu sentia vergonha de entrevistar, perguntar coisas íntimas a pessoas desconhecidas, bater em portas, fazer as perguntas básicas que me ensinaram: quem, quando, como, onde e por quê.

Depois vinha o lide, o parágrafo de abertura, que deveria conter, de forma provocativa, destaques da matéria. "Matéria", que palavra interessante! Tudo é matéria, mas nem tudo se torna matéria jornalística. Escolhas nacionais e internacionais. Sempre penso em quem está selecionando e transmitindo as notícias. A quem interessa enfatizar isto ou aquilo.

Preste atenção, geralmente os noticiários trazem matérias semelhantes – no Brasil e no mundo. A população pode ser conduzida, induzida, a prestar atenção em determinados aspectos da vida social e a tomar partidos e decisões de acordo com o ponto de vista apresentado. Pode ser escrito, televisionado, gravado. Pode acontecer sem nem mesmo perceber quem transmite, palavras, vírgulas e pontos. Quem fala interpreta os textos com olhares, suspiros e expressões faciais.

Estamos o tempo todo informando – o que nos permitem informar, o que decidem que seja informado – e, ao mesmo tempo, dando opiniões que trespassam a notícia. Observe. Por mais imparciais que queiramos ser, a escolha de frases, palavras, e a troca de olhares revelam nosso ponto de vista.

Algumas vezes é obra do copidesque, que era como chamávamos os revisores de texto. Havia sempre algum problema entre quem escrevia e quem editava. A matéria saía alterada no dia seguinte. Então, passaram a solicitar que escrevêssemos com cópia. Ora, a máquina de escrever era só máquina de escrever. Precisava pôr duas laudas com um papel cópia entre elas. Isso para mim foi um grande problema. Quando começava a escrever, se tivesse que trocar a lauda – e sempre tinha –, eu interrompia o fluxo da escrita para juntar as laudas e colocar o papel-carbono entre elas. Acabei desistindo, quase nunca fazia cópia de meus textos.

Algumas coisas eram alteradas, com certeza, mas, quando eu chegava ao trabalho para receber a pauta do dia, muitas vezes não tinha tempo nem de ler o jornal, quanto mais de conferir meu texto. Já era. As notícias de ontem serviam apenas para embrulhar carne nos açougues.

Sou velha, antiga. Da época em que havia mais açougues e poucos supermercados. Havia mercadinhos de bairro, lojas para frutas e verduras. Havia até mesmo um senhor que passava algumas vezes por semana pela casa de minha mãe com uma carroça de verduras e frutas, puxada por um cavalo. Minha mãe ia ao portão escolher; ele tomava nota em um caderninho simples e cobrava uma vez por mês. Minha mãe dizia que era turco. Talvez fosse. Depois sumiu. Assim como sumiram os mercadinhos e as lojinhas pequenas de frutas e verduras.

Pão e leite também eram entregues todas as manhãs, fresquinhos. Na hora do almoço, o padeiro vinha com um cesto de vime com os mais variados pães, e mamãe nos deixava escolher alguns – ou até uma sobremesa para comer mais tarde ou levar de lanche para a escola. Tínhamos lancheiras.

Gente antiga como eu tem histórias antigas assim. Pude assistir – e continuo assistindo – às mudanças de São Paulo.

Ser repórter da geral – ou seja, de nenhum setor específico do jornal – significava entrar em contato com os mais diferentes assuntos. Não era só política, polícia, internacional, variedades ou esportes. Eu podia ser chamada por qualquer editoria, o que era muito bom, como se tirasse um tampo de minha cabeça e possibilitasse uma grande abertura de consciência e de valores.

Trabalhei para todas as editorias, conforme o pauteiro indicava. Passeatas, luta, crimes, entrevistas internacionais, musicais e com outros artistas, jogos de futebol, pesquisas, matérias futuristas. Conheci muitos mundos na mesma cidade, o que me provocou uma grande expansão de consciência e valores.

Na redação, falávamos sobre textos, aberturas de matérias, fechamentos, literatura, autores, escritores, frases e poesias. Escrevíamos uns para os outros algumas vezes – um gesto, um carinho, amizade – e deixávamos o texto dobrado sobre a mesa do amigo.

Havia pessoas da censura federal, acredito que nomeadas para ler o jornal na íntegra e verificar se havia algo que fosse contra ou pudesse ferir os interesses nacionais. Era divertido driblar os censores. E, quando saíam textos imensos sem dizer nada específico, os leitores logo sabiam que havia censura. Às vezes os proprietários do jornal traziam visitantes que nos olhavam curiosos; nessas ocasiões, nos sentíamos animais no zoológico.

Havia pessoas que se destacavam na redação. Outras eram invisíveis. Algumas com quem sentia mais afinidade, outras por quem tinha antipatia, outras me eram indiferentes. Vazios de emoções ou sentimentos, inexistentes desconhecidos cujos nomes, vozes e memórias ficaram tão difusas que nem sei se existiram. Sem face, vultos apenas. Como entender esses mecanismos da mente humana?

Foi nessa época que aprofundei meus questionamentos filosóficos e existenciais, que começaram na pré-adolescência ou até mesmo antes, na infância. Geralmente, ao fim de um dia de trabalho (que não tinha hora determinada), alguns de nós íamos jantar em restaurantes frequentados por atores de teatro, pois podia ser bem tarde, depois da meia-noite, uma da manhã. E bebíamos. O assunto: jornal. Bebi muito. Minha mãe dizia que eu era seu "filho homem", que chegava em casa de madrugada, embriagada, falando palavrões, fumando... Nada disso eu fazia na frente de meu pai. Nunca acendi um cigarro perto dele, que nunca me viu embriagada nem ouviu palavra grosseira sair de minha boca. Minha mãe, educadora, quando eu trocava uma expressão qualquer por um palavrão, me dizia: "Filha, escolha a palavra correta. Não perca seu vocabulário".

Para ser aceita em uma sociedade masculina – éramos pouquíssimas repórteres nas redações da época (fins dos anos 1960 e início dos 1970) –, eu precisava agir como eles, comportar-me como eles para ser aceita como uma igual, e não apenas como uma menina bonita da qual poderiam se gabar. Aliás, tive namorados jornalistas. A vida era o jornal. Intenso, transitório, sempre em transformação e movimento. Muitos casos e causos (de causalidades). Vencendo a mim mesma e descobrindo o *não eu*. Afinal, quem entrevistava não era eu; eu representava os leitores e as leitoras do jornal. Eram eles que entrevistavam.

Até chegar a esse lugar, foram meses de sofrimento. Algumas vezes era preciso voltar ao entrevistado, envergonhada de bater novamente naquela porta desconhecida e me desculpar, pois esquecera de perguntar o principal.

O tempo não volta.

Ficam as memórias.

Amigos que nunca mais encontrei.

Um deles descobri no cemitério São Paulo, num túmulo de jornalistas. O Pessoinha, que entrava na redação declamando em voz alta: "A besta era serena e atendia pelo suave nome de Suzana".

Pairava um estímulo à literatura e a frases como essa. De minha parte, comecei a me interessar também por filosofia, e jornalistas mais antigos me incentivaram a compreender melhor a política, os diferentes pensamentos políticos.

Uma noite, na casa de alguém, fiquei sozinha em um terraço apreciando a lua cheia. Um colega se aproximou e disse: "Por que você não nos chamou para olhar a lua? Precisamos compartilhar a beleza". Eu achava que eles não entenderiam aquele luar, aquele silêncio, mas entendiam.

Momentos e fragmentos de mim mesma. Sementes que foram sendo regadas por inúmeras pessoas. Ilusões e desilusões. Vida-morte com grande intensidade.

Havia certo romantismo no ar, uma sensação de estarmos contribuindo para mudanças importantes no mundo, e por isso o tempo não importava. Podíamos ficar na redação até duas, três da manhã, e no dia seguinte estarmos a postos à uma da tarde. Matérias longas, que demandavam dias de entrevistas e pesquisas. Matérias curtas, imediatas, como o alagamento no gasômetro, quando entramos nas águas sujas até a altura do joelho. Tudo bem. O importante era a notícia, não a repórter, não eu.

Talvez por isso eu diga, até hoje, que foi na redação do *JT*, nas ruas do Brasil, entrevistando e encontrando realidades tão diversas, que a semente monja germinou.

Certa vez me pediram para fazer uma pesquisa sobre sociedades alternativas – o arquivo do *Estadão* tem de tudo que você possa imaginar. Foram dias, horas, semanas. Encontrei coisas extraordinárias e montei um texto. Já nem lembro mais o que escrevi, mas alguns detalhes me marcaram: a entrevista presencial que fiz com o jovem engenheiro ruivo, de bigode, que havia criado um carro elétrico (fim dos anos 1960), ao qual ninguém dava valor. Pensadores diziam que em alguns anos receberíamos jornais em casa, através de aparelhos tecnológicos. Imaginávamos que seriam máquinas como as de fax. Steve Jobs não era conhecido, e os computadores eram imensos e específicos para resoluções matemáticas, estatísticas.

Foi um tempo de grandes mudanças sociais, políticas e econômicas, no Brasil e no mundo. Monges vietnamitas se queimavam em praça pública, em protesto contra a guerra e os soldados americanos. Que capacidade de controle seria essa de se manter em silêncio, sentado em brasa? Grupos zen-budistas na Califórnia plantavam sem agrotóxicos, meditavam, reciclavam. Jovens se recusavam a ir à guerra e falavam de amor. Os Beatles foram à Índia meditar.

O que seriam a meditação, a vida natural e simples, o controle sobre si mesmo?

Enquanto lia Nietzsche, Vedas, Upanishads, Bhagavad Gita e questionava, investigava, eu duvidava de tudo. A Teoria de Tudo. Aí alteraram uma matéria longa que eu havia escrito e feriram um adolescente que entrevistei com uma vírgula. Uma frase alterada muda a vida de alguém. Nesse caso, se não a do jovem – que eu nunca soube o que sentiu ao ler o texto –, a minha. Matéria assinada e assassinada. Pedi licença. Precisava repensar minha vida.

Fui para Londres, onde também estavam Caetano e Gil. Nunca os encontrei. Acho que já estavam voltando ao Brasil. Não sei. Fui em busca de Deus e de mim mesma, vaguei por mundos abstratos e místicos durante uma pausa de quase seis meses, em isolamento, com reflexões necessárias para olhar para dentro de mim. Outras sementes foram regadas. Percorri caminhos internos, estranhos, sem medo, respirando consciente e suavemente. Iniciei práticas meditativas por minha conta e fui me tornando uma nova semente de mim mesma. "Quantas vidas em uma só vida!", exclamava minha mãe. A menina-menino, de motocicleta, viajando o mundo sozinha, aprontando e causando preocupações, sem previsões do que viria a ser.

Sementes enxertadas de outras sementes. Tudo é transformação e movimento.

"A mente é incessante e luminosa" é uma frase de Sua Santidade o XIV dalai-lama.

Que mente é essa? Seria a mente pequena da individualidade ou a grande mente de todo o ecossistema? Não são ambas incessantes e luminosas?

Questione. Investigue e regue sementes sucessoras de sementes.

Foi só nos últimos meses do treinamento monástico no Japão que entendi a grandeza da nossa Superiora e a preciosidade de um mosteiro feminino. Quando estava praticando no Zen Center of Los Angeles, na Califórnia, um monge japonês nos visitou e mostrou um vídeo inspirador sobre o mosteiro sede de Eiheiji, na província de Fukui.

Pedi ao professor que me autorizasse a praticar no Japão. Depois de algum tempo e percebendo minha determinação, arranjos feitos, fui aceita como noviça no mosteiro feminino de Nagoya. As imagens que eu tinha do mosteiro sede de Eiheiji, com mais de quinhentos monges em treinamento e cerca de cinquenta professores monásticos, não eram a realidade do pequenino mosteiro feminino, com aproximadamente vinte monjas em treinamento. As edificações não eram gigantescas como as que eu vira no vídeo, nem o comportamento entre nós, monásticas, era o mesmo.

Foi difícil compreender que monges e monjas não praticavam juntos no Japão. Demorei a entender que todos dormem no mesmo aposento, tomam banho juntos, trabalham lado a lado nas mesmas tarefas. Pensava que seria possível treinar junto com os monges, que faziam lindas liturgias, horas e horas de treinamento até chegar à perfeição.

Nossa superiora não era tão exigente na forma, mas o era em relação ao conteúdo. Ela nos treinava para que pudéssemos manter nossos votos monásticos por toda a vida, não apenas durante o treinamento.

Por tantas coisas precisei passar até entender a grandiosidade das quatro primeiras monásticas que há menos de duzentos anos se juntaram para fundar o primeiro local de treinamento para monjas... Até então elas podiam praticar apenas na retaguarda dos mosteiros masculinos, lavando, passando, cozinhando, limpando, servindo chá – e nem eram permitidas nas salas de ensinamento. Ficavam atrás das portas e das colunas, ou eram admitidas no fundão, onde mal podiam ouvir ou entender os ensinamentos. Embora o mestre fundador Eihei Dogen (1200-1253) houvesse ordenado monásticas, a posição delas na comunidade era semelhante à das mulheres na sociedade: a de servir.

As quatro monjas decidiram mudar essa situação e conseguiram um pequeno templo, perto de uma estrada de ferro, para abrir o primeiro mosteiro feminino no Japão, na província de Aichi. *Aichi* significa "amor" e "sabedoria".

Contaram-me que, quando o trem passava, o templo todo tremia. Elas passaram fome, tiveram dificuldades, mas se impuseram como respeitáveis monjas zen. Foram muitos anos até receberem, gerações depois, um novo espaço de prática na cidade de Nagoya, num bairro residencial de classe média alta. Nagoya tem muitos templos budistas – nosso mosteiro é o terceiro templo do mesmo quarteirão e há outros dois grandes templos e um mosteiro zen a poucos metros de distância. Durante a Segunda Guerra Mundial, a cidade, bem como todo o Japão, foi completamente bombardeada.

Um de nossos professores comentou em aula que o templo dele foi destruído, mas que a imagem principal de Buda não sofreu nenhum arranhão. O mesmo aconteceu com o altar principal de nosso mosteiro feminino. As imagens principais não foram atingidas e até hoje nos inspiram durante o treinamento religioso. Depois da guerra, tudo foi reerguido – com dificuldades diversas, sim, mas contando com o apoio da população local, numa cidade de grande devoção budista.

Até a metade do século XX, a posição das monjas se limitava a auxiliar templos liderados por monges. O mosteiro feminino tinha um sacerdote da ordem como superior. As monjas, sempre submetidas aos monges, não podiam ordenar monásticos, não oficiavam enterros nem casamentos e sempre dependiam da boa vontade dos templos masculinos para a realização das principais atividades litúrgicas anuais.

Naturalmente, nem todas as monjas concordavam com essa situação. A posição das mulheres no mundo já era outra, e elas queriam a equidade. A monja Kojima assumiu o papel de porta-voz desse grupo e viajou o Japão todo, indo aos templos dos principais dirigentes da ordem Soto Shu e exigindo equidade.

Muitos monges haviam morrido durante as guerras e, assim, foi permitido que as monjas usassem os mantos de cores – até então restrito a eles – e ordenassem discípulas e discípulos, oficiassem enterros e todas as cerimônias e liturgias que haviam sido privilégio masculino. Foi uma grande mudança.

O mosteiro feminino de Nagoya, sob nova direção, foi reformado; e, aos poucos, o abade Yogo Suigan Roshi passou a liderança para a abadessa Aoyama Shundo Roshi.

Eu estava em treinamento no Japão quando isso ocorreu – foi há menos de cinquenta anos. Aoyama Shundo Roshi foi nomeada em janeiro de 2022 como seido do mosteiro sede de Sojiji, em Tsurumi, Yokohama. Pela primeira vez uma monja assumiu essa posição, que, no processo educacional, é um dos cargos mais elevados.

Estamos vivendo um momento de transformação e inclusão que refletem o respeito à prática monástica feminina e o respeito às mulheres. Mas ainda não é assim em todos os continentes, países e grupos religiosos e culturais. Será que estamos em uma nova era axial, como escreve a inglesa Karen Armstrong, escritora e conferencista, especializada em religiões comparadas? Armstrong defende a tese de que a humanidade passa por eras axiais, tempo de grandes mudanças e transformações coletivas.

A tecnologia que nos une e nos separa pode ser um vetor de revoluções sociais, políticas e econômicas. Alguns temem o devir; outros se entusiasmam com o crescimento da inteligência artificial que pode unir todos os continentes através de computadores, celulares e meios de comunicação que ainda desconhecemos. Vivemos simultaneamente em eras distintas. Há grupos que se relacionam como na época medieval e há grupos desenvolvendo tecnologias e costumes futuristas. O momento presente contém em si todo o passado e todo o futuro.

Durante os sete anos de treinamento intensivo no mosteiro feminino de Nagoya, não foi sempre que entendi a grandeza do movimento das monjas, de suas práticas severas e do processo lento e progressivo de respeito e inclusão das monásticas pelas lideranças masculinas da ordem. Nós chamávamos nossa superiora de *sensei*, que significa "professora". A monja norte-americana que estava se formando e retornando a seu país insistia que a chamássemos de *docho roshi* – título dado a todos os monges na mesma posição. Algumas pessoas concordavam, outras achavam desnecessário, pois seria mais próximo e mais íntimo chamá-la de *sensei*. Detalhes capazes de grandes mudanças. O reconhecimento de estarmos sob orientação de uma grande mestra, não de uma professora comum. *Sensei* é um termo usado para todas as professoras e todos os professores em vários níveis educacionais – e também para médicos, dentistas, engenheiros. O significado literal é alguém que nasceu antes de nós. Já *roshi* significa "antiga mestra". Antiga de anciã, mais sábia.

Quando saí do mosteiro, numa manhã de muito vento, nossa superiora nos conduziu ao portal principal. Todas nós, cinco graduandas, já havíamos reconhecido que Aoyama Roshi era, sem dúvida alguma,

uma mestra zen de grande sabedoria e compaixão. Nunca a ouvi elevar a voz, nunca a ouvi falar com grosseria. Caminhava de forma macia pelos corredores, sem fazer ruído. E, assim como seu caminhar era macio, também o eram sua voz e seus gestos.

Trazia galhos enormes para os arranjos de flores nas várias salas e altares do mosteiro, passando pelas estações de trem-bala e trens locais, sem reclamar nem se incomodar com o peso e a dificuldade do transporte. Capaz de rir e de chorar, um ser humano de tamanha grandiosidade e que até hoje me inspira e me faz perceber quanto preciso e posso crescer como ser humano e monja zen.

A primeira impressão que temos de um local ou de uma pessoa nem sempre se mantém ao criarmos um relacionamento, uma convivência.

Percebi que a grande maioria das monjas se mantinha fiel a seus votos e à prática incessante mesmo anos depois de saírem do mosteiro.

Certa ocasião, fui ao mosteiro sede de Sojiji, em Tsurumi, Yokohama. Meu mestre de transmissão, Yogo Roshi, adentrara parinirvana – em outros termos, ele morreu –, e haveria uma grande celebração fúnebre.

No intervalo das várias liturgias, fui cumprimentar Miyazaki Zenji, abade de outro mosteiro sede, o de Eiheiji, em Fukui. Ele me recebeu e pediu a seu auxiliar que colocasse uma almofada no chão para se sentar no mesmo nível que eu. Esse gesto me surpreendeu, pois geralmente ele recebia as monjas e os monges acomodado em uma cadeira, ficando em um nível mais elevado.

Durante nossa breve conversa, ele me disse: "Cabe agora às monjas levar adiante os ensinamentos de nosso mestre fundador, Eihei Dogen Zenji. Muitos dos monges estão mais preocupados com política, fama e lucro. Por favor, transmita o darma correto".

O atendente de Miyazaki Zenji, de longe, pedia que eu saísse. Mas Zenji estava falando, e eu não podia interrompê-lo. Foi um momento muito importante – não para mim, mas para todas as monjas do Japão e do mundo: o reconhecimento da prática correta, que nada tem a ver com fama, riqueza, lucro, vantagens pessoais e/ou sociais.

Levei anos para compreender a superiora do pequeno mosteiro feminino em Nagoya, para reconhecer as dificuldades que as monjas fundadoras e suas sucessoras enfrentaram para que hoje tenhamos um espaço de treinamento onde é possível, inclusive, encaminhar monges e monjas, leigos e leigas, ao Caminho do Despertar.

Sementes monásticas diversas.

Podemos estimular as que desenvolvem pessoas capazes de se despojar de preocupações com ganhos, fama e lucros individuais e sempre se dedicar ao bem de todos os seres. Isso inclui mulheres líderes e decisões das ordens religiosas e das sociedades em geral. Inclusão de seres despertos, capazes de uma investigação profunda da realidade e de ações que beneficiem a tudo e a todos. Sementes Buda.

Axial tem a ver com eixo. O eixo do corpo humano é composto de oitenta ossos, num esqueleto axial, com crânio, caixa torácica e coluna vertebral.

Quando nos sentamos para meditar, a recomendação é alongar a coluna vertebral, a sede da vida na ioga. Dar mais espaço entre as vértebras, espaçar a parte nobre, que é a cervical, responsável por equilibrar o crânio. Na postura de zazen, devemos perceber que estamos apoiadas nos ísquios, alongando a coluna vertebral e a cervical, colocando os ombros um pouco para trás e abrindo o diafragma, de forma que a respiração seja mais leve e fácil. Para caminhar lenta e conscientemente também precisamos desse eixo axial, esticando o corpo a partir da cabeça.

Quem iniciou essa percepção no condicionamento físico foi Joseph Hubertus Pilates (1883- -1967), criador do método pilates. Ele foi uma criança pequena, raquítica, que, segundo especialistas, terminaria em uma cadeira de rodas. Sem se conformar com o prognóstico, estudou o corpo humano, procurou nas atividades físicas possibilidades de aumentar sua vitalidade, pesquisou na ioga e na meditação. Surgiu o método que foi acolhido em Nova York na década de 1940 principalmente por dançarinos e bailarinas.

O foco é alongar a partir da cabeça, do topo dela. É desse lugar que crescemos e alongamos a cervical e a coluna vertebral, sem nenhum endurecimento e permitindo a flexibilidade natural. Assim é a prática de zazen: alongamos o eixo axial a partir do topo da cabeça, como se houvesse um fio de prumo nos ligando ao céu. Esse movimento abre espaço entre as vértebras e todas as articulações. A postura ereta do ser humano se completa.

Karl Theodor Jasper (1883-1969), filósofo e psiquiatra alemão, chamou de era axial a época entre 800 a.C. e 200 a.C. – período em que surgiu a mesma linha de pensamento em três regiões distintas do planeta: na China surgem o confucionismo e o taoismo; na Índia, o bramanismo e o budismo; no Ocidente, o zoroastrismo, o judaísmo profético. E na Grécia nascem o sofismo[3] e os filósofos, como Platão, Heráclito e o teatro grego.

Um momento axial, um eixo na história, quando o ser humano tomou consciência de si e de suas limitações, sua finitude. Passamos a ansiar pela salvação pessoal, procurando significado e sentido por meio da reflexão. Surgiram conflitos filosóficos, em que professores com diferentes pontos de vista tentavam convencer e ganhar adeptos, seguidores. Momentos de discussões e rupturas.

---

[3] Sofismo é a vertente mística do Islã, surgida por volta de um milênio após o período que está sendo citado.

Será que essa situação lembra a que estamos vivendo? Procura de mais adeptos, seguidores, quando muitos querem ser influenciadores. Influenciar mudanças sociais e individuais passa a ser um título nas redes sociais. É possível criar novas condutas, modos de agir e costumes modificando as maneiras de pensar e de *interser*.

Estamos em uma nova era axial? Será que estamos questionando, como os gregos e os budistas ensinaram? O que é a verdade? O que é real? O que é *fake*? Ou estamos nos tornando céticos, duvidando de nós mesmos, das pessoas, da amizade, do amor, dos governos, das notícias, da ciência, dos estudos, das pesquisas, das religiões e de todo o sistema social, político e econômico? Duvidar, questionar, investigar, experimentar é importante, mas precisamos crer em algo – que seja no DNA humano e em nossa capacidade de adaptação e transformação do mundo e de nós mesmos.

Há dois mil e seiscentos anos, Buda dizia que "não há nada permanente neste mundo". Tudo flui constantemente. Quando fluímos com o fluxo da existência, praticamos *ahimsa* – não violência, que também significa não se tornar um peso para ninguém. Não incomodar, não ofender, ser leve e fluido, suave como uma pluma. Não há uma verdade fixa. As relações são pontuais e não permanentes – ou, como disse Zygmunt Bauman, a modernidade é líquida.

Quando reconhecemos a extraordinária época de mudanças que estamos experimentando, vivenciamos a nova era axial? A diferença é que, se antes as culturas não se comunicavam, hoje todos nos conectamos por rádio, jornais, televisores, computadores, celulares. Será que a tecnologia, os algoritmos e a IA se tornarão um marco na modernidade fluida?

Queremos cada vez mais, vivemos atrás de satisfazer desejos sem fim. Isso vai acabar? Podemos desejar não desejar tanto? Lembro-me de uma frase de Frei Betto, numa entrevista: "Gosto de ir ao shopping para ver tudo o que não preciso ter".

Claro que ainda há muita gente que segue em aldeias remotas sem acesso a bens de consumo e tecnologias. Gente que vive em contato com a terra, com o ar, com o vento e com as águas, em locais sem estradas de rodagem, sem aviões nem helicópteros. Onde se acorda com o amanhecer e se dorme logo após o anoitecer. Pessoas que reconhecem as nuvens e os ventos, os odores e as manifestações naturais, e sabem interpretar chuvas e sóis. Pessoas capazes de amar com ternura e singeleza. Ainda há. Temos pouco contato com essas pessoas. Meus livros, minhas *lives*, minhas postagens não chegam a esses grupos. Atingem um público menor, mas nem por isso menos importante. Pessoas que precisam se reconectar com a essência de si.

Quando estive no Butão, um guia – vestido de maneira tradicional, alimentando-se de forma antiga – comentou sobre jovens que se encantam pelas culturas ocidentais: sonham em ir para a América, a Austrália e outros cantos. A televisão, a batata frita e o refrigerante entraram nas casas simples. O sonho de viver em outros países ameaça a sociedade.

A felicidade nas coisas pequenas é um filme sobre um jovem professor que sonha em morar na Austrália. Foi designado pelo governo a dar aulas num povoado em uma montanha distante (seis dias a pé, depois das muitas horas de ônibus). E a narrativa traz aventuras e desventuras tanto na ida quanto durante o período em que cuidou da escola e das crianças... É um filme sensível, com tomadas belíssimas da paisagem, da vida rural, dos silêncios e dos cânticos antigos, da felicidade nas coisas simples e com o contraponto de um restaurante/bar ocidental.

Será que nossa felicidade e nosso bem-estar está em ter mais comida, bebida, bens materiais, status, seguidores, fama e lucro? Ou podemos encontrar bem-aventurança ao contemplar o nascer e o pôr do sol, acompanhar as fases da lua, perceber o raio de sol nas folhas verdes e as sombras projetadas nas varandas, nas casas, nas águas e na terra?

Será que sentimos prazer no silêncio e no encontro com nosso eu verdadeiro?

Há muitas mudanças acontecendo, em paralelo, em diferentes culturas. Há cansaço e desencanto com a maneira que vivemos: trabalhando muito, correndo atrás de status, fama e poder, consumindo desenfreadamente e não encontrando satisfação plena. A pandemia nos isolou e, em vez de apreciarmos a família, a casa, os momentos possíveis de reflexão, houve mais divórcios, maior uso de drogas e bebidas, aumentou o número de assaltos e crimes. Brigas, desencontros, desafetos onde poderia haver mais harmonia, encontros, afetos. Algumas pessoas procuraram práticas meditativas e fizeram ioga, em busca de autoconhecimento e libertação; elas se deram bem, ficaram bem. Mas foram poucas.

Tentam passar a filhos e filhas os mesmos princípios que causaram e causam dor e desequilíbrio. Cada um querendo ser melhor que o outro, competindo e se iludindo de que está tudo bem, quando internamente sentimos um grande vazio existencial que nenhuma viagem, passeio, roupas, lucro, fama, atividade física, dietas, luxo nem simplicidade consegue suprir.

O vazio existencial, o cansaço e o desencanto existem e incomodam, perturbam – por vezes levam à depressão e ao suicídio. Podem, por outro lado, induzir ao questionamento, à investigação e ao despertar.

A mesma dor que pode matar é a que pode libertar. O caminho exige esforços, apoio, resiliência, vontade, dignidade. Há alguma dignidade no fundo do poço? O que fazer ao chegar lá? Uma saída seria dar um impulso e subir; outra alternativa é ficar encolhido, dobrado, sofrendo... A escolha é sua, ainda que dependa de inúmeros fatores que não sua decisão.

Conheço uma história de uma raposa que caiu num poço fundo e não conseguia sair. Era um animal sábio, e os seres celestiais ouviram seus lamentos e apareceram para socorrer. Queriam que a raposa ensinasse o Caminho do Despertar. Fizeram um trato: primeiro os seres celestiais a ajudariam a sair, depois ela os ensinaria. Assim foi feito. Libertaram a raposa do poço, e a raposa libertou os seres celestiais.

No budismo, seres celestiais têm poderes, mas não são budas, não despertaram. Geralmente descem dos céus para ouvir os ensinamentos do Caminho.

Voltando ao fundo do poço, como chegamos lá? Foi queda livre ou afundamos pouco a pouco, sem nos afogarmos? Teria sido desatenção? Estávamos na beirada e caímos? Estávamos sonolentos e não vimos? Fomos empurrados? Escorregamos? A tampa do poço estava solta e fomos consertar? Estávamos com vontade de sofrer? Ou queríamos chamar atenção? Há muitas possibilidades. Não necessariamente se trata de uma pessoa tola, insegura, depressiva e incapaz.

Podemos aprender com quem chegou ao fundo do poço, se entregou à dor, ao desespero, e não viu saída para as dificuldades. Chegou ao limite. Mas o limite pode ser o princípio, se não há mais fundo.

Qual seria o passo seguinte? A raposa pediu socorro aos céus. Conseguiu. Essa ajuda pode vir na forma de bombeiros, amigos, animais, cordas, escadas, mãos... Há pessoas que não querem apoio nem a libertação. Acostumam-se a viver no fundão, com lama, musgo, mofo. A luz pode ser assustadora ao revelar a verdade, o que é assim como é. No lusco-fusco, é possível imaginar seres extraordinários e fantásticos. Até nos acostumamos com o aperto, o desconforto, o cheiro de barro molhado. Um poço quase seco. Se o poço tiver muita água, aí, sim, complica – como manter a cabeça livre para respirar? Pode-se dar um impulso quando tocar o fundo e depois ficar boiando?

O verbo "boiar", inclusive, é usado para alguém que não está entendendo direito o que está acontecendo: "fulano boiou no assunto", ou seja, não entendeu do que estávamos falando. Qualquer um de nós pode boiar. Boiar no mar ou na piscina é bom. Aprender a soltar o corpo, confiar na água; sem medo, deitar-se, abrir os braços e as pernas, uma superfície maior, sem contrações. No mar, é preciso cuidado, pois a correnteza pode nos levar para onde não gostaríamos de ir. Na piscina, podemos bater nas bordas ou em outras pessoas – ou, pior, alguém pode pular em cima de você, e você pode engolir água e quase se afogar.

É melhor aprender a nadar de lado, de frente, de costas e a boiar um pouco. É melhor estudar e aprender sobre vários assuntos e apenas de vez em quando não saber nada, ficar boiando.

Essas imagens me fazem pensar em uma rede – rede de dormir, rede de descansar, de embalar. Quando chega a hora do despertar, de cuidar da roça, das mudas, das sementes, de si e de tudo o que há.

Levante-se, compreenda, atue, transforme, recue, avance, sem ir nem vir, e a semente vira gente, vira árvore, gera novas sementes.

> Levante-se, compreenda,
> atue, transforme, recue,
> avance, sem ir nem vir,
> e a semente vira gente,
> vira árvore, gera
> novas sementes.

Ela era alta, cor de jambo, nariz de ponta fina, meio adunco, e lábios finos. Seus cabelos eram lisos, pretos, sempre presos num pequeno rabo de cavalo. Aqueles baixinhos, na nuca. Tinha os dedos fortes e grossos. Arrumava a cama e passava os dedos por cima dos lençóis, depois das cobertas. Tudo perfeito, no lugar.

Havia deixado três filhos no Norte, não sei se com a mãe, a avó, a tia ou a madrinha. Mas não falava sobre eles. Na época, ela mandava todo o salário para quem cuidava deles. Vivia sem nada, morava na casa onde trabalhava e tinha quarto, comida, uniforme. Não usava maquiagem, não pintava as unhas nem os cabelos. Estava sempre arrumada, de sandália de borracha. Na folga, saía sempre com a mesma roupa e voltava para dormir. Não tinha um lar próprio.

Só sei que certo dia um adolescente parecido com ela a veio visitar. Era um dos filhos. Depois de crescidos, os três quiseram se mudar para o Sul. Ela sentiu alegria, saudades, culpa – tudo misturado. Os meninos se meteram com drogas e morreram, um após o outro, enterrados em cova rasa. Todas as virtudes e todos os conselhos, exemplos que ela me deu, não chegaram a seus meninos.

Anos se passaram, reencontrei essa senhora que marcou minha infância e juventude com sua presença serena e amorosa, cheia de virtudes. Ainda me lembro da última vez que a vi. Onde estava o brilho de seus olhos negros? Era a mesma e era outra. Foram tantos anos... Dezoito, vinte, vinte e dois?

Hoje, quando faço a cama, estico os lençóis, ainda vejo as mãos queridas me ensinando a deixar tudo certinho. Ela plantou em mim sementes que não pôde plantar nos próprios filhos. Tem minha eterna gratidão e respeito.

Como cuidar de meninos que vêm de longe, em busca de riqueza e de alegrias, de uma vida nas cidades grandes, e se tornam presas fáceis do crime? Como fazer entender que a beleza e a felicidade podem estar na vida simples, no cantar do galo ao amanhecer, na semente virando árvore, no aconchego macio de um afago? Em poder ouvir os pássaros, ver as nuvens, empinar pipa, correr livre, sem medo, sem precisar se bancar, se mostrar? Ser *intersendo*.

À zero hora de 22 de janeiro de 2022, adentrou o parinirvana o monge vietnamita Thich Nhat Hanh, a quem os discípulos carinhosamente chamavam de Thay, ou professor. Aos 95 anos de idade, cumpriu sua missão e sua obra. Deixou discípulos e discípulas em vários continentes, além de livros, trabalhos, estudos, palestras, vídeos, filmes e um ensinamento principal: plena atenção ao respirar, ao caminhar, ao tomar chá, ao falar, ao descansar, ao estudar, ao meditar, ao viver. Gratidão.

"Não estarei dentro nem fora de um túmulo, de uma pagoda, um mausoléu. No entanto, onde você estiver caminhando em plena atenção e respirando conscientemente, lá eu estarei." Você tem consciência de seu respirar, seu movimento ao andar e do movimento que você faz ao viver? Suavidade e plena atenção.

O corpo pequeno e magro foi transportado sobre um tatame firme e um travesseiro branco por uns vinte discípulos até o caixão, que estava atrás de um altar no mosteiro do Vietnã onde ele havia se retirado nos últimos anos. Estava vestido com hábito marrom e coberto por seu manto amarelo.

A procissão saiu do aposento onde ele havia morrido. Na verdade, dizemos que um mestre não morre, mas entra no parinirvana – o grande nirvana, a grande paz. Levaram-no para trás do altar do templo principal, onde baixaram e levantaram três vezes seu corpo, como se fossem três reverências aos budas ancestrais, antes de colocá-lo em um caixão enorme, de madeira clara, muito diferente dos caixões que usamos em funerais – quer no Japão, quer na Europa, nos Estados Unidos ou no Brasil. Era um caixão enorme, talvez de um metro e meio de altura. O corpo foi depositado, e jogaram pó de incenso de sândalo, almofadas e lascas de sândalo (bacias e mais bacias), até encher o caixão. Jogaram o líquido de uma garrafa. Cobriram com papéis e tecidos. Fecharam e colocaram duas cintas selando o caixão, que deveria ficar em exposição durante alguns dias antes de ser cremado. As pessoas o cobriram com flores e várias ofertas foram feitas em uma mesa numa das extremidades. Monges e monjas, juntos, sem distinção nem separação, oraram e reverenciaram o grande mestre.

De repente, penso em meu féretro, daqui alguns anos: não terá essa pompa nem sombrinhas de tecido amarelo, tampouco tantos discípulos e discípulas. O caixão será simples, preto, o mais barato de todos. Haverá flores e incenso dentro do caixão, a minha volta e sobre meu corpo. Estarei vestida de branco, levando meu cajado, sandálias de palha de arroz para a viagem. Meu manto maior, marrom de nove tiras, que eu mesma costurei, será colocado sobre o caixão e seguirá assim até o crematório. Antes de o caixão descer definitivamente, o manto será dobrado, de forma respeitosa, e entregue a meus discípulos. Quem sabe, mais tarde, seja colocado em um museu que exiba objetos budistas...

Nos funerais de Thay, seus discípulos leram muitos dos ensinamentos – alguns em forma de poemas – sobre ele estar em todos os lugares e que a morte seria apenas um "até breve".

Várias vezes ele escreveu que as dores e as alegrias do mundo eram todas as suas dores e as suas alegrias, que estaria sempre presente nas montanhas e nas matas, nos rios e nos mares. Que não o procurássemos em túmulos ou monumentos, mas em nós, ao caminharmos em plena atenção, respirando conscientemente: "Ao inspirar, tenha consciência da inspiração; ao expirar, tenha consciência da expiração". Parece tão simples, mas pode ser bem difícil atingir a presença pura onde quer que estejamos.

Imagine nunca mais se deixar controlar pela raiva, mas ser capaz de caminhar conscientemente e chamar pela paz.

Contaram-me um episódio de quando ele estava tentando resgatar refugiados do Vietnã. O governo já recebera refugiados e não queria receber mais. Havia um navio no porto com cerca de setecentas famílias. Thay foi à praça pública pedir ao povo que exigisse do governo a entrada dos refugiados. Havia muitas pessoas, e ele voltou ao hotel. Em poucos minutos alguém bateu à porta. Era um oficial com uma passagem de ida para a França. O governo exigia que ele saísse no primeiro voo por perturbação da ordem pública. Thay ficou aflito, mas não ofendeu o mensageiro, recebeu e agradeceu. Não conseguia se sentar para meditar. Começou a andar no quarto do hotel em plena atenção, exclamando em voz alta: "Eu chamo pela paz".

Foi acalmando os batimentos cardíacos e relaxando a musculatura. Lembrou-se de alguém que lhe dera um cartão de visitas – era de uma embaixada. Telefonou e explicou os acontecimentos. Cerca de duas horas depois, o adido apareceu no hotel e disse: "Você vai amanhã no voo do meio-dia, não no das seis da manhã. Teremos a manhã para falar com o governo e tomar providências".

O governo não cedeu, mas permitiu que colocassem água e alimentos no navio, para que tentassem outro país. Teria sido a partir desse incidente que Thay desenvolveu a meditação caminhando? Passo a passo, inspirando e expirando conscientemente.

Nos mosteiros zen japoneses, entre cada período de meditação (zazen), há um período de *kinhin* (prece andando).

No passado, a sala de meditação ficava aberta dia e noite. Não havia ninguém marcando horários, e quando a pessoa achava necessário se levantar e caminhar silenciosamente, assim o fazia. Não sabemos exatamente quando isso mudou. Hoje há sinos e tambores que indicam o momento de entrar nas salas de meditação, e todos devem estar juntos. Evidentemente alguns estarão em outras atividades – cozinhando, atendendo a professores, visitantes. Mas a grande maioria (*daishu*) caminha lado a lado.

Subindo escadas dois a dois, varrendo, passando pano no chão, nas janelas, nas portas, tomando banho, dormindo, comendo, trabalhando, meditando.

Sair do eu individual e se tornar o eu coletivo. É um teste e um modo de vida que sempre leva em consideração outras pessoas. Ah, se pudéssemos todos viver assim, em harmonia e respeito.

"*Daishu ichi nyo*" é uma expressão usada no Japão monástico. *Daishu* significa "a grande sanga", todos os monásticos. *Ichi nyo*, equidade. Todos juntos. Não devemos procurar atividades separadas do grupo. Não devemos escolher onde vamos limpar nem de que maneira. Seguimos instruções e obedecemos. Se tivermos sugestões, devemos fazê-las antes ou depois das atividades programadas. Não se pode decidir estudar na biblioteca se todos estão limpando os jardins em meio a pernilongos mordendo, joelhos doendo, suor pingando. Devemos passar juntas por todos os confortos e desconfortos da vida comunitária.

Sempre há alguém responsável por decidir as atividades de cada dia, com o abade ou a abadessa e outros professores e professoras do mosteiro. Somos avaliadas dia a dia. Há grande intimidade, principalmente para quem entende e fala bem o japonês. Praticantes de outros países, no início, apenas seguem o grupo e imitam o comportamento, sem acesso às instruções faladas.

Há momentos de tristeza, isolamento, depressão, de se sentir excluída e discriminada; outros de alegria, trabalho em grupo, contentamento ao se sentir incluída e respeitada. Tudo pode mudar em segundos. Um gesto, uma atitude, um pensamento. A transitoriedade e a interconectividade são sentidas dia a dia, momento a momento.

Tempo livre? Desconheço. Algumas horas por dia são destinadas a estudo, lavar roupas, organizar a mesa de estudos e o aposento. Os aposentos são sempre coletivos, nada de quartos individuais. Aposentos, banho, refeições, práticas, meditações, aulas, banheiro, lavanderia, armários – tudo compartilhado.

De três em três meses, mudamos de aposentos e de companheiras de quarto e de trabalho. Formamos pequenos grupos para cuidar da sala de Buda e das liturgias, para cuidar da cozinha e dos alimentos, para cuidar da sala de meditação e das tarefas gerais, para receber professoras e convidadas e cuidar, atender a telefonemas, atender à porta e atender às mestras. Nessas funções, nós nos revezamos. E, ao mudar de companheiras, temos de aprender a nos relacionar bem com qualquer pessoa – mesmo com quem não sentimos afinidade.

Difícil até estarmos perto de nos graduarmos e seguirmos para trabalhar em algum templo ou no próprio mosteiro. Nessa fase, ocorre uma mudança sutil. De repente os desafetos se tornam afetos, e percebemos quanto foi importante estar internada com outras monjas – semelhantes a nós, com sonhos e dificuldades, com alegrias e tristezas, com expectativas e medos.

Como num passe de mágica, nos dias que antecedem nossa saída do mosteiro – pelo menos da posição de noviças para assumir o papel de monjas formadas, de professoras da ordem –, nosso olhar se expande, e um grande afeto, uma ternura, preenche nosso coração. Claro que há exceções, pessoas que desistem do voto monástico, que acham insuportável a maneira como uma ou outra monja fala, anda, pensa. Pessoas com dificuldade de encontrar a paz interior e o conforto ao partilhar dos valores e dos princípios.

De todo modo, é possível encontrar na vida fora dos mosteiros e dos centros de treinamento pessoas semelhantes àquelas que, durante o noviciado, não fomos capazes de compreender e acolher. Estaremos no mundo da dualidade, gostando de algumas pessoas e desgostando de outras – sem a capacidade do amor incondicional, sem a capacidade da compaixão.

A compaixão nem sempre é visceral, ensina Sua Santidade, o XIV dalai-lama. Quando observamos um assaltante agredindo alguém para o derrubar e roubar um celular, nosso cuidado é com a vítima roubada. Contudo, se formos capazes de perceber que o assaltante também é vítima de uma sociedade violenta e não desenvolvermos ódio ou revolta, podemos procurar meios hábeis para transformar a nós e a toda a sociedade, cultivando a paz.

Paz interior pode transformar o mundo. Cada um de nós pode se tornar uma semente de paz verdadeira. Para isso, é preciso conhecer a si, conhecer sua mente e usar a inteligência e o coração para o bem de todos os seres. Votos e mais votos. Compromissos difíceis de serem cumpridos. Sem jamais desistir.

Podemos falar mais baixo e com mais amor? Podemos respeitar as pessoas com quem convivemos, sem expectativas de retorno? Por que estamos sempre num comércio de afetos, no qual eu dei minha atenção a você, agora você me deve atenção? Será que tudo são transações de trocas ou podemos doar, dar sem esperar nada em retorno?

Sementes a ser plantadas – implantadas, talvez – nas covas das ervas daninhas. Lembre-se de não retirar todas as ervas daninhas, pois elas têm uma razão de existir. Deixe algumas no jardim da consciência, no jardim da vida. Semeando sabedoria e ternura, talvez possamos cultivar a paz. Paz de respirar conscientemente, de estar presente no agora, de saber que precisamos de todas as formas de vida para que nossa espécie sobreviva.

Nossa espécie é uma mistura de DNAs, de cores de pele, formatos de olhos, nariz, boca, culturas e formas de pensar. Semelhantes, nunca iguais. Equidade não é igualdade. Valor semelhante, importância semelhante no grande processo da vida.

Vamos despertar? Vamos fazer o voto de nunca desistir de nós e de todos os seres? Vamos nos comprometer a nos tornarmos sementes de paz? Ainda há tempo, podemos nos transformar em sementes de compaixão e paz, sementes de amor incondicional e cuidado respeitoso.

De minha parte, conto histórias, pesquiso textos, procuro analogias para dizer que o momento chegou. Já não podemos mais ignorar que somos o todo e que o todo é em nós.

> Já não podemos mais ignorar que somos o todo e que o todo é em nós.

Zazen não é refletir, mas o refletir faz parte do zazen.
Zazen não é pensar, mas o pensar faz parte do zazen.
Zazen não é não pensar, mas inclui o não pensar.
Zazen não é exatamente meditar, mas medita.
Zazen é conhecer a si.
Zazen é conhecer a mente.
Zazen é ir além do eu através do eu, sem exterminar o eu.

Certa ocasião, uma praticante levantou-se durante uma aula e disse: "Monja, vou embora. A senhora não me fez despertar". E foi embora, nunca mais voltou. Realmente, não fui capaz de fazê-la despertar. Mas será que o despertar depende de alguém além de si mesmo? Compreender a mente é o despertar.

Cada um de nós deve procurar, investigar, praticar e descobrir o funcionamento da mente, saber que em si há inúmeras sementes, possibilidades tanto do bem como do mal. Há também sementes neutras, algumas muito antigas, ancestrais, outras recentes, de nossas experiências atuais. Conforme estimuladas, as sementes crescem e desabrocham. Algumas vezes nós as regamos sem querer; noutras vezes, querendo. Por isso é importante conhecer e escolher quais sementes queremos cultivar e quais devemos aquietar.

A mente humana tem oito níveis de consciência: um para cada órgão dos sentidos, uma sexta que gerencia todas elas, uma sétima que transmite o que recebemos pelos sentidos para uma grande nuvem, uma memória imensa: a consciência armazenadora.

Essa consciência tem três funções principais. A primeira é guardar e preservar todas as sementes de nossas experiências. Múltiplas experiências do que fizemos, percebemos e nos tornamos. Em sânscrito, essas sementes são chamadas de *bija*. A segunda são as sementes em si mesmo. Elas não são o grande armazém, mas estão contidas no armazém. Uma loja, um armazém, um local de armazenar. Sem nada armazenado, seria apenas um galpão vazio. A terceira função é o apego ao eu. Há relações complexas entre a sétima consciência, que leva e traz informações entre a sexta e a oitava consciências.

Algumas vezes temos a impressão de que há algo fixo e permanente, mas todas elas, todas as consciências, são fluidas, impermanentes, estão em movimento contínuo no surgir e no desaparecer. Todas estão interconectadas e, ao mesmo tempo, nenhuma tem uma identidade substancial, fixa. Podemos confundir essa grande memória como um local de sementes fixas ou permanentes, mas tudo está sempre em movimento e transformação.

Se carregamos memórias ancestrais de milhões de anos, estas são submetidas a influências de estudos, pesquisas e experiências atuais, que podem alterar sementes antigas.

Assim, quando algo surge na sexta consciência, a que organiza, que nos conscientiza de tudo o que entra pelas consciências dos cinco sentidos, a sétima leva essa nova semente à grande memória e de lá traz de volta à sexta consciência uma possibilidade de resposta ao que está ocorrendo, através de uma semente da oitava consciência.

Ora, a sétima pode trazer a semente da raiva, do rancor. Percebemos nossa respiração ficando mais superficial e pulmonar, alta. Sentimos a contração dos músculos. A raiva está se manifestando em nosso corpo, foi ativada. Entretanto, se considerarmos que não é o momento de uma crise de raiva, de um destempero, e percebemos essa movimentação, podemos acionar outra semente: a da plena atenção. Percebemos os sintomas da raiva e não atuamos, não insultamos, não batemos, não manifestamos a raiva. Apenas sentimos. Respiramos a raiva com ternura. Inspirando e expirando conscientemente. Aos poucos o batimento cardíaco volta a ser mais regular, a musculatura deixa de ser tensa, e escolhemos como responder à situação, sem nos deixarmos controlar.

Percebam que nós não cancelamos a raiva, nós não fingimos que ela não estava lá. Reconhecemos e usamos o que temos: respiração consciente e pensamentos hábeis para compreendermos as causas e as condições que nos levaram a esse estado e podermos modificar esse estado. Isso não significa quietude, pacifismo, deixar ser. Pelo contrário. Vamos analisar as causas, o que deu origem ao sentimento de raiva e, quando não estivermos mais com raiva, agiremos para que a situação não se repita.

Tudo isso acontece com uma rapidez incrível, impossível de compreendermos com clareza. Está acontecendo agora: ao ler estas palavras, esse processo é estimulado. Você pode ter memórias de outros textos, outros ensinamentos e, ao compreender o que estou escrevendo, comparar com sementes anteriores. Pode concordar, discordar ou apenas surgir em você a vontade de verificar se isso é verdadeiro ou não.

São muitas as possibilidades. É um movimento incessante.

Nossa mente e o mundo podem ser comparados a um campo onde sementes são cultivadas. Por isso é importante escolher.

Certa vez, um senhor me contou que encontrou um homem que havia recebido uma pequena gleba de terra e queria plantar arroz. Esse senhor era engenheiro agrícola e ficou horas explicando ao homem como plantar as sementes, cultivar pequenas mudas e, depois, plantar no solo adequado.

Passados alguns meses, o engenheiro agrícola voltou e se surpreendeu com o campo vazio. O homem veio brandindo as mãos e gritando, furioso: "O senhor me enganou. Tive um trabalhão e não cresceu nada".

O que teria dado errado? Após várias perguntas, descobriu que o homem havia comprado arroz no supermercado e jogado diretamente no campo. Não havia criado primeiro mudas de sementes de arroz. Assim também é conosco e com o mundo. Pegamos as sementes adequadas e cuidamos para que se tornem pequenas mudas e, aí sim, cresçam. Algumas vezes jogamos sementes ao vento, e passarinhos, insetos, animais nos ajudam. Carregam em si as sementes que podem cair em solo fértil – ou não.

Quais sementes queremos cultivar? Podem ser de sabedoria, de compaixão, sementes do despertar da mente humana. Elas estão à disposição, mas, se não houver procura, escolha, se não cultivarmos primeiro as mudas, não crescerão.

Pensamentos reflexivos e filosóficos, questionamentos sobre vida e morte e investigações a respeito dos sentidos que podemos dar à existência estimulam algumas sementes. Há pessoas que estimulam sementes de guerra, ódio, rancor, sofrimento, dor, doença, aquecimento global, destruição da natureza e de si e não percebem que estão destruindo as condições de vida humana no planeta. Mantêm hábitos racistas, pensamentos vingativos, estimulando sementes tóxicas e prejudiciais à espécie e a outras espécies. Até mesmo se tiverem boas intenções, pessoas assim não permitem à nossa família humana uma vida de harmonia e paz.

Há formas de pensar, agir e falar herdadas de situações pelas quais passaram nossos ancestrais desconhecidos, sem faces e sem nomes. Éramos nós... Tornaram-se *bijas*, sementes, em nossa grande memória. Algumas são responsáveis por nossa sobrevivência.

Não há nada a cancelar, extinguir, mas a reconhecer, acolher e transformar. As práticas do zen, as meditações, as reflexões profundas nos tornam hábeis a desenvolver o discernimento correto e a ter respostas adequadas às provocações do mundo. Respostas adequadas são aquelas que beneficiam o maior número de seres – ou seja, todos nós.

Esse reconhecimento, essa acolhida ao passado comum, transmuta o sentimento, o pensamento, a fala e a ação, pois informações e experiências, estudos e exemplos transformam pensamentos, pontos de vista, palavras e atitudes. No presente, todo o futuro e todo o passado se mesclam.

Há estudos de mais de 2,6 mil anos sobre a mente humana, deixados por Buda e seus discípulos. E há várias outras tradições filosóficas e espirituais.

Reflita, investigue, estude, considere, procure, pratique e decida o que semear.

Faça escolhas.

" Compreender a mente é o despertar. "

Era um casal jovem, ambos com menos de 30 anos. Conheceram-se em um show de rock, se apaixonaram e se casaram em poucas semanas.

Ele tinha os cabelos lisos e longos, que chegavam à cintura, era magro e forte. Olhos azuis e braceletes de prata e turquesa, largos, um em cada braço. Ela tinha os cabelos ondulados, bem mais curtos que os dele. Não usava joias, vestia-se de forma simples e acreditava no poder da meditação. Todos os dias se sentava por alguns minutos.

Tiveram três cachorros grandes – dogues alemães, também chamados de *great danes* ou dinamarqueses. Ela nunca havia visto sacos de ração tão grandes. Aos poucos, foi sobrando para ela a função de alimentar os cães, dar remédios, passear.

Ele trabalhava com iluminação de grandes eventos, tinha uma empresa grande, equipamentos e um caminhão; ela procurava pela iluminação da mente. Afinidades finitas. Foram felizes.

Ela o ajudava a enrolar cabos elétricos e trabalhava com ele nas coxias dos eventos. Pintou seus tênis de prateado e deixou uma estrela azul-escura em cada pé. Ele não gostou. Eram *roadies*, e *roadies* não se vestem como artistas, devem ser discretos, invisíveis. Que ela não falasse, não olhasse muito, não admirasse os grandes musicistas e cantores. Nem mesmo os outros *roadies*. Era para manter os olhos baixos e enrolar os cabos, mantendo-se discreta pelos cantos. Assim foi.

A casa deles era na praia, em Cocoa Beach, Flórida. Mas o visto dela estava para vencer, o que significava que precisaria voltar ao Brasil. Resolveu conhecer Nova York, talvez fosse até a Califórnia. Queria muito ir à Índia... Quem sabe?

Visitou Nova York e voltou. Havia deixado alguns dólares escondidos atrás de um tijolo da sala. Trouxe duas alianças de prata e turquesa. Foi quando se casaram e vieram ao Brasil solicitar o visto de residente nos Estados Unidos. Mais alguns meses ou anos se passaram – nesse meio-tempo, ela fazia aulas de balé e ele procurava bicos de iluminação de shows com artistas brasileiros.

O irmão dele ficara responsável por cuidar do caminhão, dos contratos de eventos, do equipamento, mas se envolveu com drogas, não pagou o seguro, sofreu um acidente na estrada e perdeu tudo, perdeu anos e anos de trabalho. Ele, bondoso, voltou para a Flórida tentando consertar o que já não tinha conserto. Nem chegou a brigar com o irmão. Fechou a casa, fechou o estúdio de fotografia – seu *hobbie* – e voltou ao Brasil com a proposta de morar na Califórnia, onde tinha um amigo do mundo musical. Foram, sempre levando os cães, gastando fortunas.

Certo dia, em Los Angeles, um aviso de possível terremoto. Amigos de amigos emprestaram uma casa grande, próximo à praia, em uma encosta. No topo da encosta havia uma pedra que poderia cair sobre a casa. Os residentes foram para longe até que a ameaça do terremoto acabasse. O casal ficou na casa. Fizeram um treinamento especial, mas o tremor não ocorreu.

Os habitantes da casa voltaram e eles foram morar na casa de uma atriz, nas montanhas de Hollywood. Passeios a cavalo pelas montanhas, aulas de balé para ela e ele procurando trabalho. A atriz ensinou à jovem a posição de lótus. *Ah, que dor*. Mas conseguiu – e era um de seus objetivos, meditar como via nas revistas, filmes e livros.

Na sequência, conseguiram alugar um apartamento na rua que dava para a montanha Hollywood. Lá em cima moravam atores famosos; na parte de baixo, casais mistos e cães. Nessa época, só tinham um cão.

Ela praticava meditação, recebendo instruções pelos correios do grupo do Self Realization Fellowship. Não trabalhava e não podia pagar o curso; mesmo assim, enviavam o material e diziam que pagasse quando pudesse. Pairava uma sensação boa de inclusão e confiança.

O marido vendia partituras musicais em lojas de música, tinha uma van e passava o dia todo nas lojas e nas ruas de Los Angeles. Ela tinha um carro grande, antigo.

Passado um tempo, conseguiu um emprego de recepcionista no Banco do Brasil, na Flower Street. Era um prédio lindo, atapetado, ar-condicionado perfeito, salão amplo e uma fonte no centro do térreo. No mezanino ficavam os executivos – gerentes, auditores, contadores, secretários executivos. Ela atendia o telefone, transferia para quem deveria, recebia as poucas pessoas que entravam. O caixa ficava próximo, mas só eram clientes alguns poucos brasileiros que estavam estudando ou trabalhando no exterior. Quando o caixa tirava férias, ela assumia o posto. Nessa época, leu um livro sobre ondas mentais alfa e foi procurar o zen.

Antes e depois do trabalho, passou a frequentar o Zen Center of Los Angeles. Corria pelas ruas do centro em seu *hakama* preto e tudo dava certo. Começou a participar de retiros aos fins de semana e tirava licenças especiais no banco para retiros mais longos. Aos poucos foi trocando o balé clássico pela meditação zen.

O marido se encantou por uma francesa, e eles se separaram, com respeito e ternura. Já não brigavam mais, como tantas vezes. Aliás, o zen fez parte dessa mudança. Conversou com sua orientadora sobre ciúme, sobre as discussões infindáveis. Foi orientada por Charlotte Joko Beck, uma das grandes mestras do zen norte-americano.

"Coloque as mãos palma com palma quando se sentir ofendida. Não reaja. Agora, faça isso de forma interna, no imaginário. Ele é seu grande mestre do controle, do conhecimento de si mesma."

Verdade, as brigas foram cessando e o calor da relação esfriou. Depois de um retiro mais longo, ele se atrasou muito para buscá-la. Não houve discussão. A música no carro a incomodou, a fumaça do cigarro também. Perceberam que o relacionamento havia terminado. Sem drama, com carinho, se divorciaram.

Ela pediu para ser monja e foi aceita. Depois da ordenação, seguiu para o Japão.

Difícil foi se separar de Joshua, o cão dinamarquês azul. Antes do divórcio, correndo com Joshua pelas ruas de Hollywood, ele tropeçou e machucou a coluna. Andava solto, obedecia a comandos, e só era difícil controlá-lo quando via gambá. Depois voltava para casa com aquele cheiro de gambá, tomava banho com suco de tomate na banheira... Isso até que ela descobriu que os supermercados vendiam um produto para tirar esse cheiro específico. Era comum gambás andarem pelas ruas mais calmas da cidade.

Aliás, tudo era mais calmo na Costa Oeste. Na Costa Leste, onde fica Nova York, todos corriam muito, buzinavam, brigavam no trânsito. Em Los Angeles eram mais *laid back*, tranquilos, andavam devagar, sem pressa, respeitavam os sinais de trânsito e os pedestres, sorriam mais, a cidade toda parecia mais calma. Mesmo assim, havia discriminação e preconceito contra latinos.

Bem que a mãe dela avisara: "O símbolo do país é uma ave de rapina; lembre-se de Pearl Harbor; ser latina residente, ser imigrante nos Estados Unidos, não é fácil". A previsão se concretizou, e arrumar emprego foi difícil, até que uma agente sugeriu que ela buscasse empresas brasileiras.

Funcionária do Banco do Brasil, foi lá que teve sua primeira experiência mística verdadeira, com as técnicas de meditação que aprendia no Zen Center of Los Angeles. Nas horas vagas, escrevia cartas longas para sua filha, sua mãe, seu pai. Escreveu até um romance, que se perdeu em viagens e mudanças. Lia muito, meditava na hora do almoço nas igrejas locais. Sentiu-se perseguida e ameaçada por homens que a seguiam e se aproximavam enquanto meditava – era jovem, bonita, magra, agora com cabelos longos. Havia feito uma dieta especial a convite de sua vizinha e de 56 quilos foi para 47.

Três horas de balé clássico de segunda a sexta, à noite. Sábados e domingos a mesma dose, pelas manhãs. Seu corpo era só músculos. Sentia-se leve. Comprou uma barra horizontal de exercícios e a colocou no quarto. Acordava cedo para se exercitar e passear com o cachorro.

Quando se separou, passou a visitar o cão, velhinho, com dores, uma vez por semana. A nova companheira de seu ex-marido se irritava: "Se gosta tanto dele, por que não o levou com você?". Ela havia, sim, pensado em levar o cão, mas o Zen Center of Los Angeles não admitia animais. No entanto, ao ouvir isso, percebeu que estava incomodando o casal. Nunca mais visitou Joshua.

Depois de ordenada monja zen-budista, mudou-se para o Japão.

Pouco antes de ir, recebeu um telefonema do ex-marido: ele teve um AVC, quebraram todos os seus dentes da frente para que pudesse respirar, mas estava bem. Nunca mais se falaram.

Assim é a vida, com encontros e desencontros. Quando um relacionamento se rompe, algumas vezes é para sempre.

Quantas pessoas já cruzaram seu caminho e por quantos caminhos você já passou? São experiências que ficam em nós – talvez guardadas lá no fundo do mais fundo da consciência armazenadora, mas nada é jogado fora. Algumas se mantêm como memórias fracas, meio apagadas. Outras permanecem vívidas, talvez de tanto as relembrarmos. São sementes, minipartículas flutuando no grande contêiner da memória ancestral. Passado, futuro e presente mesclados como o bolo folhado do primeiro casamento, enfeitado por colunas romanas e anjinhos brancos sentados.

"Chamando os corações famintos
　　Todos os perdidos e deixados para trás
　　Em toda parte através do tempo sem fim
Sua fome e sua sede
A todos os perdidos e deixados para trás
Ofereço a minha tigela
Aproximem-se e compartilhem esta refeição
Sua alegria e sua dor
Eu as faço minhas."

Letra cantada em Auschwitz-Birkenau nos retiros anuais que ocorrem há mais de dezessete anos, liderados por praticantes do Zen Peacemaker Order, a Ordem Zen dos Fazedores da Paz.

No dia 27 de janeiro de 1945 foram liberados os prisioneiros de Auschwitz-Birkenau. Estavam magros, sofridos, feridos, sobreviventes do campo de extermínio.

Quando vejo as fotos, os filmes, os horrores do Holocausto, pergunto-me como podemos nós, seres humanos, tratar outros seres humanos dessa forma? Torturar, matar, abusar, sem respeito, empatia, compaixão. Onde teriam se escondido os sentimentos de irmandade e solidariedade?

Genocídio. Irmãos e irmãs matando irmãos e irmãs. Somos todos filhos e filhas da Terra. Por que estimulamos os aspectos brutais e terríveis da separação, do ódio, do rancor e do medo? O mais violento é sempre o mais covarde, o fraco. Todas as formas de preconceito são frutos da ignorância, da raiva, da ganância – sentimentos que são como vírus terríveis que podem infectar milhões de pessoas, como o coronavírus, sempre se espalhando, modificando e procurando novos hospedeiros.

Num dos países mais desenvolvidos da Europa, a Alemanha, berço de gênios da física, da química, da matemática, de grandes filósofos e compositores, musicistas extraordinários... Por que em um país desses tal barbárie pôde ocorrer e se manter por anos? O que há de errado conosco, seres humanos? Somos frágeis e podemos ser conduzidos a decisões errôneas.

O crime cometido não pode ser apagado, mas o remorso, o arrependimento, é capaz de mitigar a repetição. A violência não termina com violência; o ódio não deve ser combatido com ódio.

Tristeza profunda.

De que lado eu estaria, no dos uniformes e das botas polidas ou dos pijamas listrados? Cabelos raspados antes de entrar na câmara de gás ou tatuadora de números em braços sem nomes? Qual foi minha participação nessa barbárie? Antes de nascer, eu estava lá. Nós estivemos lá como estivemos nas fogueiras medievais, nos mosteiros e nos castelos de outrora, nas guerras sangrentas, nas destruições

de povos e civilizações. Estávamos lá. Que memórias são essas que reconheço minhas?
Quando foram plantadas essas sementes?

Todos os espíritos famintos, todos os que foram esquecidos e abandonados, em todo e qualquer lugar, através de todos os tempos, sua fome e sua sede, eu as reconheço e ofereço minha taça, minha mesa, meu prato. Aproximem-se e compartilhem esta refeição, pois sua alegria e sua dor, eu as faço minhas. A música cantada em inglês ressoa macia. Orando por soldados e prisioneiros, grupos de praticantes zen meditam, no início de novembro, quando já faz frio no hemisfério norte.

Foi um crime contra cristãos, ciganos, pessoas com deficiência, homossexuais – uma grande lista de excluídos e perseguidos. Mais de 6 milhões de criaturas humanas mortas, esqueléticas, em covas comuns, jogados corpos sobre corpos, tiros, gases, cães... Quanta dor.

Há quem não saiba ou não queira saber o que houve. Mas não podemos esquecer nem deixar esquecerem. Lembrar para que não se repita, pois nós, seres humanos, somos fracos e esquecemos. Facilmente somos enganados, tanto que caímos em golpes tolos. Desacreditamos de nós mesmos e acabamos sofrendo e fazendo sofrer.

Desde sempre grupos se formam, baseados no rancor, no ódio e na vingança – pode ser por um time de futebol, por gênero, por cor de pele. Racismo, preconceito discriminatório e abusos de qualquer tipo devem ser nomeados, expostos e impedidos. É crime no Brasil e no mundo.

Quando a lama de Brumadinho engoliu e cobriu os funcionários da mineradora, uma jornalista comentou que o Instituto Médico Legal encontrou todos sem pele. Não havia brancos ou negros, mas corpos e partes de corpos sem nenhuma pele, identificados por impressões digitais. Sem pele, todos sem pele. Essa é uma ferida que não cicatrizou.
Numa noite de festa e música, um incêndio fatal.
Um avião sem suficiente combustível que caiu, feriu, matou.
Numa praia paradisíaca, um menino de 8 anos foi mordido por um tubarão e perdeu parte de uma perna.
A motorista embriagada assassinou o jovem na calçada. Não foi acidente.
São descuidos, falta de cuidado, falta de atenção. "Depois a gente dá um jeito." Mas não há depois nem há jeito.
Há jovens ateando fogo em moradores de rua, há pessoas acabando com florestas e metidas no garimpo ilegal. Povos indígenas são dizimados, seus líderes, assassinados. Povos vindos da mãe África são desrespeitados, sofrem abusos, maus-tratos físicos, sociais, emocionais. Até quando? Quando vamos despertar? Quando vamos nos curar desses vírus terríveis que nos fazem sentir segregados e distintos?
Poder. Queremos poder e não podemos nada, somos todos fantoches nas mãos da história. Vencidos e vencedores, manipulados e manipuladores. Apenas fantoches num circo de horrores.
Acorde, assuma o comando de seus sentimentos e seus valores. Você pode despertar e viver com

mais ternura, com respeito, cuidando e sendo cuidado. Assim suas dores se amenizam, suas tristezas se calam e seu sorriso reaparece. É chegada a hora.

No Japão, sobreviventes de Hiroshima e Nagasaki recontam suas histórias e suas dores. Sobreviventes do Holocausto, no mundo todo, revelam os horrores pelos quais passaram. Vítimas de Fukushima processam a empresa de energia nuclear – crianças e adolescentes, sobreviventes da explosão, desenvolveram câncer.

São tantos os casos recentes e antigos a ser estudados, relembrados e transformados. Minas de carvão, mineração deixando montanhas ocas, petróleo e seus derivados gerando guerras e desequilíbrios ambientais. Trabalhemos por um mundo com mais energia limpa, menos poluição, mais saúde, menos aflição. É possível mudar nossa maneira de ser, de pensar, de olhar para a realidade e transformar nossos hábitos.

A Terra está viva e se move. Não por nós ou para nós nem contra nós.

Há tanto ainda a aprender, a entender para evitar danos, sofrimentos, dores, abandonos, abusos, doenças e mortes prematuras.

Sigamos o exemplo de dona Zilda Arns, que diminuiu a mortalidade infantil com água, açúcar e sal nas doses corretas, com o soro caseiro que evita a desidratação de crianças Brasil afora. O beija-flor caído no asfalto precisava apenas de um pouco de água com açúcar em um palito de sorvete. Bebeu e voou. Quem o alimentou ficou alegre. Sem esperar que voltasse para agradecer.

Será que precisamos de gratidão por fazer o bem, por cuidar? Cuidando somos cuidados.

Acordemos e vamos investigar os fenômenos naturais e as relações neurais. Precisamos saber das marés e das enchentes, fortalecer as encostas, proibir casas e passeios em áreas de risco, oferecer moradia digna a todos, acolher e compartilhar o grande banquete da vida. Precisamos conhecer a mente humana, as conexões neurais e a capacidade de discernir corretamente para atuar de forma decisiva – não para destruir e matar, mas para dar vida e compartilhar saberes.

Há uma prece budista, entoada no fim da tarde em templos e mosteiros zen, chamada "Portal do doce néctar". Trata-se de uma invocação de seres benéficos e sábios que podem nos auxiliar a adentrar o portal da doçura incomensurável, do néctar celestial. Ou seja, despertar a mente de cada criatura e ser capaz de oferecer alimentos a todos os espíritos através do espaço e do tempo: os que estão nos céus, os que sofrem, os que estão em níveis intermediários, os que se manifestam apenas por instinto, os briguentos e rabugentos, os que só reclamam e acham que nada é suficiente até os que estão em plenitude. Todos são chamados, que venham estar conosco, que recebam as bênçãos oferecidas.

Essa prece é para abrir o portal para que todos encontrem a satisfação plena, sem que nada falte. E a satisfação só pode ser obtida pelo despertar da mente Buda, não por alimentos comuns, objetos, status e fortuna. Alimentos e água são colocados nos altares simbolicamente. A bem-aventurança do despertar da mente de sabedoria e compaixão é o doce néctar que nos liberta de sofrimentos, de insuficiências, causados pela ganância, raiva e ignorância. A prece inclui a gratidão por nossos pais, nossos mestres e todos os que tanto fazem por nós, incluindo oferecer paz e tranquilidade a quem já morreu, incluindo o arrependimento dos erros e das faltas para que haja purificação, cura e fim do sofrimento. O fim é para que todos possam despertar, libertar--se e viver em pureza e alegria. Aqueles que já se libertaram juntam forças para que todos possam se libertar. Em qualquer tempo, em todos os lugares.

Há muitos anos faço essas preces todas as tardes. Nos equinócios de primavera e outono, há grandes celebrações, nas quais essa é uma das preces principais. Abrimos um altar especial, longe do altar de Buda, e colocamos muitas oferendas e os nomes de pessoas. Invocamos todos os espíritos para que venham ter conosco, que sejam capazes de receber nossas singelas ofertas de incenso, flores, luz de vela, água pura e alimentos. Que encontrem a satisfação e a plenitude. Também é um desejo para nós que participamos do ritual.

Nos equinócios, há equidade, o dia e a noite têm a mesma duração – e é por isso que a consideram a melhor época para acessar a sabedoria perfeita. O bem e o mal, o dia e a noite, a luz e a sombra têm o mesmo valor. Indo além de qualquer dualidade, podemos atravessar o rio do nascimento, velhice e morte com leveza, compreensão e alegria. Os que já se foram recebem nosso afeto e a certeza de que podem acessar a grande tranquilidade, indo além do além.

Esta é a manifestação da sabedoria perfeita, ou *prajna paramita* em sânscrito. *Prajna* é "sabedoria", e *paramita* significa "completar", "acessar a outra margem", "encontrar a perfeição". Estamos sempre nos aperfeiçoando, sempre atravessando, sempre indo além, e podemos nos entregar ao infinito, ao tudo-nada ao despertar, através do espaço e do tempo, em todas as dez direções: norte, sul, leste, oeste, nordeste, noroeste, sudeste, sudoeste, acima e abaixo. E nos três momentos: passado, futuro e presente.

Alcance irrestrito para todos que sofrem, sofreram e podem vir a sofrer, em qualquer lugar e em qualquer tempo. Do passado mais distante ao futuro inimaginável, tudo se manifesta agora.

> Do passado mais distante ao futuro inimaginável, tudo se manifesta agora.

Existiu, em outro tempo, um discípulo de Buda chamado Maudigaliana. Sua mãe havia morrido, e ele sonhava com ela sofrendo fome e sede, desesperada. Maudigaliana, então, fazia preces e oferecia água pura e alimentos. Entretanto, quando ela se aproximava para beber ou comer, tudo se transformava em impureza, vermes, água lamacenta e suja.

Desesperado, Maudigaliana foi pedir orientação a Buda, para entender como seria possível libertar sua mãe de tanto sofrimento. Foi quando Buda recomendou que ele se mantivesse em prática de meditação e orações, ouvindo os ensinamentos, por três meses.

Era época das monções na Índia, com fortes chuvas, período em que os monges e as monjas se reúnem em locais fechados para praticar. Assim foi feito. Ao terminar o treinamento especial, muitas pessoas fazem ofertas de alimentos aos religiosos.

Buda organizou um altar, uma grande mesa com todas as oferendas, colocou inclusive algumas no chão, e fez uma prece semelhante a "Portal do doce néctar", que acabei de citar. Invocou seres iluminados, despertos, caridosos, compassivos, que aparecessem para libertar quem sofre. Entoou preces e fez gestos para chamar, abrir a garganta e libertar todos os seres. Que todos pudessem encontrar a plenitude, a satisfação, o prazer na existência.

Ao terminar, Buda perguntou a Maudigaliana como estava sua falecida mãe, ao que Maudigaliana, muito alegre, respondeu: "Ela está bem e sorrindo". Seu período de insatisfações e sofrimento terminara – tanto pelas invocações de Buda quanto pela prática incessante de seu filho, que alcançara a mente iluminada.

Cada pessoa que desperta é manifestação de Xaquiamuni Buda, o Buda histórico que viveu na Índia há 2,6 mil anos. Cada pessoa que desperta é também manifestação de Kannon Bodistava, o ser iluminado que vê os lamentos do mundo e atende às necessidades verdadeiras – pura compaixão. Cada pessoa que desperta manifesta Monjusri Bodisatva, o ser iluminado da sabedoria meditativa. Cada pessoa que desperta manifesta Fugen Bosatsu, o ser iluminado da prática incessante.

Ou seja, o despertar é a manifestação de budas e bodisatvas, seres iluminados que praticam e desenvolvem a sabedoria e a compaixão incessantemente e oferecem sua prática para o despertar de todos os seres. Sem nada a ganhar, sem nada a perder, vivem sem medo, sem ansiedade, sem expectativas, em plena presença e consciência de suas ações, seus pensamentos e suas palavras. Capazes de fazer escolhas corretas pelo discernimento desenvolvido na prática. Assim, a prática pratica: zazen (predicado, verbo) zazen (objeto) zazen.

A prática é a realização. A prática é o despertar. A prática é a manifestação Buda. Frase clássica do zen-budismo: "Um instante de zazen, um instante de Buda".

Somos o que praticamos, o que fazemos, falamos e pensamos.

Há alimentos para o corpo e atividades físicas para a saúde e o bem-estar; há alimentos para a mente e atividades espirituais para a saúde e o bem-estar.

Atender a nossas necessidades físicas e mentais é levar uma vida saudável e agradável, uma vida desperta, pois, ao nos compreendermos em profundidade, nos percebemos interligados a tudo e a todos. Dessa percepção surge o sentimento de beneficiar, acolher, compreender e cuidar da vida em cada partícula, em cada forma e manifestação.

Ao mesmo tempo, temos de fazer escolhas incessantes, algumas difíceis. Encontrar leveza e clareza é o caminho sagrado. Ensinamentos e práticas facilitam nosso bem-estar. E, quando estamos bem, somos gentis e amorosos. Sendo gentis e amorosos, nós nos vemos capazes de incluir todos os seres em nosso afeto. Ao assim fazer, desenvolvemos o amor incondicional e a compaixão absoluta que se transformam em ações adequadas. Um círculo perfeito.

No início, visamos ao benefício próprio, então nos descobrimos interligados a tudo e todos e passamos a beneficiar todas as formas de vida; com isso, voltamos a receber os frutos de nossas ações, dando sentido a nossa vida e encontrando a plenitude.

Na jornada humana, a imaginação, o sonho, a utopia também são importantes.

E os jogos eletrônicos, que seduzem tantas pessoas, tentam desempenhar o papel desse imaginário impossível, com morte e renascimento imediatos, poderes sobrenaturais, esperteza, liberdade, resiliência – tentar novamente, sem desistir, superar obstáculos, vencer batalhas, desenvolver habilidades de agilidade física e mental. É preciso, contudo, melhorar o conteúdo desses jogos. Que não sejam apenas de exterminar, mas de transformar, libertar, cuidar, incluir. Jogos cooperativos, que aproveitemos para descobrir novos remédios, curas, possibilidades de diálogo e consenso. Talvez um caminho mais longo e com mais obstáculos que os ataques. Podemos instruir pessoas a dialogar, a fazer acordos que beneficiem todo mundo, não apenas alguns.

Imagine as grandes lideranças internacionais – políticas, econômicas, financeiras, administrativas – trabalhando juntas pelo bem comum, além de fronteiras criadas por guerras e batalhas, além de lucros e vantagens para um grupo ou outro, compartilhando e cooperando para um mundo mais justo, equitativo e amoroso. É possível. E nós podemos iniciar esse processo em casa, com parentes, amigos, vizinhos, parceiros de trabalho e de vida. Sejamos a transformação que queremos no mundo, parando de brigar, discutir, ofender e ser ofendido. É possível.

Dê o primeiro passo consciente. Haverá obstáculos, provocações, dificuldades que podem ser alimento para sua força e determinação. Não desista.

Compreenda pontos de vista e posições diferentes da sua – isso não significa concordar, mas pode ser um estímulo e a possibilidade de encontrar meios hábeis para explicar melhor seu ponto de vista e fazer-se entender. Não ofenda, não odeie, não queira exterminar nem cancelar nada nem ninguém.

Certamente há pessoas deludidas que acreditam no conflito armado, na violência, que negam qualquer possibilidade de mudança de comportamento e de olhar sobre a realidade. Quanto devem sofrer e fazer sofrer pessoas assim. Devemos nos apiedar de quem é incapaz de amar e incluir – o que não significa falta de punição nem desistir dos processos de reeducação. Tudo pode e deve ser feito pelos meios legais de mudança social, política e econômica.

E é preciso observar em profundidade para não cair nas armadilhas da própria mente. Será que nossa atitude, nossas palavras e nossos pensamentos produzem o bem a todos ou apenas contribuem para nosso bem-estar? Será que nosso bem-estar é separado do bem-estar coletivo? Existe uma autoidentidade substancial, independente e à parte?

Buda disse que não.

Investigue, sem deixar que isso perturbe seu sono. É importante dormir, sonhar, descansar a mente de tantos estímulos que recebemos. "Quando não conseguir dormir, sonhe", assim sugeria o psiquiatra José Angelo Gaiarsa. "A mente precisa descansar, descansa sonhando e não pensando."

Se tiver muitas preocupações e pensamentos na hora de dormir, escreva suas dúvidas e questões para não as esquecer e deixe para resolver no dia seguinte. Excesso de pensamentos também estimula o cérebro e impede o sono. Muitas vezes, no sonho, no descanso das atividades do pensamento lógico, podemos acessar e processar informações de forma mais eficiente. Com a mente tranquila, encontramos respostas que pareciam não existir.

Certo dia, um praticante zen-budista especialista em TI se viu com um problema que parecia sem solução. Estava no trabalho e, por mais que tentasse, não encontrava a resposta. Lembrou-se de um *darani*, uma prece cujas palavras não fazem sentido em português. Internamente invocou o "*Daihishin darani*", o *darani* da mente de grande compaixão. Algo como: "*Namu kara tan no tora ya*".

Ao fazer essa entoação, deixou de pensar no problema, acalmou seus batimentos cardíacos e sua respiração se tranquilizou. Aquietou sua ansiedade e sua aflição. Então, ao voltar ao computador, foi capaz de ver a solução que antes não via.

Ele me relatou esse episódio com grande alegria: "Funciona, monja, realmente funciona na vida da gente".

"Além do pensar e do não pensar" são palavras do fundador da ordem soto zen no Japão, século XIII, escritas em um texto sobre regras universais de zazen (*Fukanzazengi*, em japonês) — trata-se de uma ode que orienta praticantes a penetrar nos níveis mais profundos de meditação. Zazen, sentar-se em zen, é ir além do pensar e do não pensar. Como? Eis a questão, só através da experiência de meditar compreendemos a meditação.

Talvez uma nova frase seja adequada: "Não penso, logo medito".

Se dividirmos a palavra "medito" em "me" e "dito", teríamos algo como "dizer a si mesmo". Tem a ver com o processo de meditação. A ação de dizer a si mesmo: quem é você, o que é a mente, como se formam pensamentos, como surgem sensações, como se desenvolve o discernimento correto, como regamos sementes sendo, nós mesmos, sementes.

> Somos o que praticamos, o que fazemos, falamos e pensamos.

Como podemos salvar todos os seres? Salve-os da ignorância. Desperte.
Parece brincadeira, mas é verdade: se conseguirmos nos libertar da ignorância, se despertarmos, beneficiaremos todos os seres.

Com estes textos, compartilho um pouco de minhas experiências e minha imaginação no processo de escolher as sementes com as quais queremos estimular para uma vida plena. Repito que a vida plena depende de como pensamos, falamos e agimos. O pensar correto nos leva à fala e à ação corretas, e refletir sobre o que é adequado a cada circunstância da vida faz parte de práticas meditativas e de plena atenção. E a plena atenção é pré-requisito para meditar. A meditação, por sua vez, nos leva à libertação das amarras a vícios e hábitos de pensar, falar e agir para desenvolvermos habilidade de pensar, investigar, duvidar, procurar caminhos e respostas que ainda não havíamos buscado.

Podemos ficar mais atentas a nossa fala, a palavras e expressões que escolhemos, para não nos limitarmos a jargões que podem não ser verdadeiros. Não repita por repetir, sem pensar. Pense antes de falar. Reconsidere seus pontos de vista. Reflita. Compare com pensadores que você reconhece como exemplos de lógica e bondade. Escolha palavras que sejam simultaneamente diretas e acolhedoras. Não insulte ninguém.

Seja capaz de desfazer os nós da ignorância com a luz da sabedoria perfeita. Acesse essa sabedoria que habita em você e em cada partícula do universo, pense, fale e aja a partir desse local de clareza e bondade.

Foram essas sementes que procurei estimular durante o tempo que estivemos juntas. São *nossas* sementes.

Que estejam saudáveis e bem protegidas para florescer e desenvolver novas e melhores sementes. Vida em harmonia. Vida saudável. Vida plena.

Mãos em prece,

MONJA COEN

**Acreditamos
nos livros**

Este livro foi composto em Libre Caslon
Text e impresso pela Geográfica para a
Editora Planeta do Brasil em agosto de 2022.